Comme un livre cm1

Renée Léon
Agrégée de lettres modernes

Élisabeth Colas
Professeur des écoles

hachette
ÉDUCATION

Avant-propos

Donner à lire et donner à voir, tel est ici notre projet.

Nous avons résolument voulu un beau livre, un livre où l'on ait envie d'entrer, un livre aussi qui donne l'envie d'aller plus loin.

Les textes, classés par genres (contes et histoires, théâtre, poésies, documentaires, romans, nouvelles), explorent tous les domaines de la littérature de jeunesse.
L'enfant lit pour rire, pour rêver, pour rencontrer des personnages mythiques et légendaires, pour découvrir le monde, pour réfléchir...

Ce recueil de textes réunit donc :
- des extraits, mais aussi beaucoup d'histoires complètes ;
- des textes faciles et des textes moins faciles ;
- des textes courts et des textes plus longs ;
- des textes récents et des textes plus classiques ;
- des textes connus et des textes moins connus ;
- des textes drôles et des textes qui abordent des sujets plus graves...

Mais toujours, nous l'avons souhaité, des textes forts.

Ici, pas de parcours imposé. L'enseignant chemine en fonction de sa classe et des priorités qu'il se donne. À l'intérieur de chaque genre, les textes sont présentés par ordre de difficulté croissante.

Le questionnaire, volontairement léger, concerne l'essentiel : l'idée centrale, la situation, les personnages, l'information phare... Il tend à susciter des échanges au sein de la classe et à impliquer l'élève dans sa lecture.

Les mots difficiles sont expliqués en marge dans leur contexte.

Les illustrations sont des œuvres d'art : tableaux, gravures anciennes, sculptures, photographies, etc.
Elles n'illustrent pas le texte au sens strict du terme. Elles le prolongent plutôt, dans un autre domaine de la création. Elles donnent des repères, elles affinent le regard, elles nourrissent l'imaginaire.

Les auteurs

© HACHETTE LIVRE 1998, 43, quai de Grenelle, 75905 Paris Cedex 15
I.S.B.N. : 978-2-01-116035-5
Tous droits de traduction, de reproduction et d'adaptation réservés pour tous pays.

Sommaire

L'exploitation pédagogique d'une grande partie de ces textes se trouve dans le cahier d'exercices.

Les documentaires ◀ 84

L'exploitation pédagogique d'une grande partie de ces textes se trouve dans le cahier d'exercices.

L'exploitation pédagogique d'une grande partie de ces textes se trouve dans le cahier d'exercices.

Les contes et histoires

Les contes
et histoires

Histoire-télégramme

Bernard Friot, *Nouvelles Histoires pressées*, « Zanzibar », Éditions Milan, 1992.

DRAGON ENLÈVE PRINCESSE — ROI DEMANDE CHEVALIERS SAUVER PRINCESSE — TROIS CHEVALIERS ATTAQUENT DRAGON — PREMIER CHEVALIER CARBONISÉ — DEUXIÈME ÉCRABOUILLÉ — TROISIÈME AVALÉ TOUT CRU — ROI DÉSESPÉRÉ — FACTEUR IDÉE — ENVOIE LETTRE PIÉGÉE DRAGON — DRAGON EXPLOSE — PRINCESSE ÉPOUSE FACTEUR — HEUREUX — FAMILLE NOMBREUSE — RÉDUCTION SNCF — FIN —

Paolo Uccello
(1397-1475),
*Saint Georges
et le dragon*, détail,
56,5 x 74 cm.

▼ Ce texte est un peu étonnant. Pourquoi ?
Explique son titre.
▼ Cette histoire est-elle un conte ? Pourquoi ?
▼ Pourquoi ce texte est-il drôle ?

Nasreddin ne veut pas prêter son âne

Mille ans de contes, tome 1, Éditions Milan, 1990.

Un jour, un voisin vint demander à Nasreddin Hodja de lui prêter son âne.

– L'âne est au pré, répondit Nasreddin.

Comme il prononçait ces paroles, on entendit l'âne braire dans l'écurie.

Le voisin dit, d'un air sévère :

– L'âne est à l'écurie, et tu voulais me faire croire qu'il est au pré parce que tu ne veux pas me le prêter. Je suis très déçu par ton attitude.

Et Nasreddin de répondre, indigné :

– C'est moi qui suis déçu. Tu crois le baudet, et tu ne me crois pas, moi !

un baudet :
un âne.

En haut :
*Âne broutant
le contenu d'un
panier*, art égyptien,
VIe siècle après J.-C.

Ci-contre :
Marché de chevaux,
détails d'une
enluminure, art
islamique, vers 1580.

▼ Qui sont les personnages ? De quoi parlent-ils ?
▼ Pourquoi le voisin est-il déçu ?
▼ Qui a le dernier mot dans la discussion ?
▼ À ton avis, qui a raison ?
▼ Que penses-tu de Nasreddin Hodja ?

Cinq cents volumes, trois mots

Muriel Bloch, *365 contes pour tous les âges*, Gallimard, 1995.

On raconte que dans la Perse ancienne vivait un roi nommé Zémir. Couronné très jeune, il se mit en devoir de s'instruire : il rassembla autour de lui de nombreux érudits provenant de tous les pays et leur demanda d'éditer pour lui l'histoire de l'humanité. Tous ces érudits se concentrèrent donc profondément sur cette étude.

Vingt années passèrent à la préparation de l'édition. Enfin, ils se rendirent au palais, chargés de cinq cents volumes à dos de douze chameaux.

Le roi Zémir avait alors dépassé la quarantaine.

« Je suis déjà vieux, dit-il, je n'aurai pas le temps de tout lire avant ma mort, alors, s'il vous plaît, faites-en une édition abrégée. »

Durant une vingtaine d'années les érudits travaillèrent sur ces livres et revinrent au palais avec trois chameaux seulement.

Mais le roi était devenu très vieux. Il avait près de soixante ans et était affaibli :

« Il ne m'est pas possible de lire tous ces livres. S'il vous plaît, faites-en une version plus courte. »

Ils travaillèrent encore dix ans, puis revinrent avec un éléphant chargé de leurs ouvrages. Mais le roi avait maintenant plus de soixante-dix ans ; à demi aveugle, il ne pouvait plus vraiment lire. Zémir demanda alors une édition encore plus abrégée. Les érudits eux aussi avaient vieilli. Ils se concentrèrent encore cinq ans et juste avant la mort du roi, ils revinrent avec un seul volume.

un érudit :

une personne très instruite, très savante.

« Je dois donc mourir sans aucune connaissance au sujet de
l'histoire de l'homme », dit-il.

À son chevet, le plus âgé des érudits répondit :

« Je vais vous expliquer en trois mots l'histoire de l'homme :
l'homme naît, souffre et finalement meurt. »

À cet instant même, le roi expira.

expirer ....
mourir.

Jeune Homme avec son précepteur, enluminure, art indien, XVIIIᵉ siècle.

▼ Explique le titre de cette histoire. Retrouve les « trois mots » dans le texte.

▼ Que demande le roi Zémir au début ? Que demande-t-il ensuite ?

▼ Que penses-tu de ce que dit l'érudit à la fin ?

Les habits neufs de l'empereur

Les Habits neufs de l'empereur, texte d'Andersen adapté par Évelyne Lallemand, Hachette Jeunesse, 1995.

Il était une fois un empereur très coquet... Un jour, deux tisserands arrivent au palais et expliquent qu'ils peuvent tisser une étoffe merveilleuse et bien utile : les imbéciles, ceux qui ne font pas bien leur métier, ne peuvent pas la voir. Ravi, l'empereur leur demande de fabriquer immédiatement ce tissu extraordinaire, sans se rendre compte que les tisserands sont des escrocs...

Un beau matin, il envoya donc son premier ministre auprès des tisserands.

Quand le vieil homme entra dans la grande salle, il écarquilla les yeux. Pour en avoir le cœur net, il enleva ses lunettes, les rechaussa, les enleva à nouveau. Il croyait avoir la berlue : sur les métiers à tisser, il n'y avait rien, absolument rien !

« Serais-je sot ou bien nigaud ? se demanda-t-il avec effroi. Si tel est le cas, personne ne doit s'en douter ! »

En toute hâte, il déclara aux deux coquins qui le pressaient de questions à propos de leur tissu fabuleux :

« C'est une merveille, c'est une splendeur ! » Puis il rechaussa ses lunettes et courut rejoindre l'empereur très coquet.

« C'est une merveille, c'est une splendeur, mais ce n'est point encore achevé ! » lui annonça-t-il, un peu tremblant.

Les jours suivants, les deux fripons réclamèrent encore des écus, des fils d'or et des fils de soie. Il en fallait tant pour leur tissu ! Bien entendu, ils mettaient le tout dans leur sac et ne tissaient que le vent, même s'ils ne se couchaient qu'à minuit passé pour prouver à quel point ils avaient le cœur à l'ouvrage.

un écu :
....
une pièce d'or ou d'argent.

Edmond Dulac (1882-1953), illustration pour *Les Habits neufs de l'empereur*.

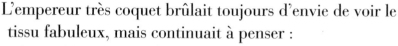

L'empereur très coquet brûlait toujours d'envie de voir le tissu fabuleux, mais continuait à penser :

« Et si j'étais sot ou nigaud ? Et si je ne voyais pas le tissu ? »

Aussi envoya-t-il auprès des deux tisserands son grand chambellan qui, évidemment, sursauta en découvrant les métiers vides.

« Serais-je sot ou bien nigaud ? se demanda-t-il avec effroi. Si tel est le cas, personne ne doit s'en douter ! »

En toute hâte, il déclara aux deux coquins qui le pressaient de questions à propos de leur tissu fabuleux :

« C'est une merveille, c'est une splendeur ! »

Puis il rejoignit l'empereur et lui dit :

« C'est un tissu d'une beauté incomparable que Votre Majesté devrait porter le jour de la Grande Procession ! »

Bientôt, la ville entière ne parla plus que de cette étoffe d'une beauté incomparable !

Le jour de la Grande Procession approchant, l'empereur décida qu'il irait, en compagnie des gens de sa cour, admirer le tissu.

Quelle ne fut pas leur surprise à tous, de voir les deux hommes tisser, sans le moindre fil de soie ou d'or, et même sans aucune espèce de fil !

Chacun, à commencer par l'empereur, faillit s'étouffer de stupeur et pensa :

« Serais-je sot ou bien nigaud ? se demanda-t-il avec effroi. Si tel est le cas, personne ne doit s'en douter ! »

Mais l'empereur fut le premier à s'écrier :

« C'est une merveille ! C'est une splendeur ! C'est admirable ! »

Et autour de lui, on répéta :

« C'est une merveille ! C'est une splendeur ! C'est admirable ! »

Alors, en guise de récompense, l'empereur très coquet donna aux deux coquins le titre très envié de gentilshommes tisserands, beaucoup d'écus et de fils, tout en les implorant de se hâter afin que l'étoffe merveilleuse soit achevée pour la plus belle fête de la ville : la Grande Procession.

Les fripons redoublèrent d'activité ! Ils tissèrent le vent, des jours durant et des nuits durant à la clarté de seize chandelles. Un soir, enfin, ils retirèrent l'étoffe des métiers – ou plutôt firent mine de la retirer –, ils la taillèrent avec des ciseaux qui ne coupèrent que l'air, la cousirent avec des aiguilles dans le chas desquelles ne passait aucun fil ! C'était veille de la Grande Procession…

Le lendemain matin, suivi de sa cour, l'empereur très coquet pénétra dans la salle.

« Voici le pantalon, voici l'habit, voici le manteau et la traîne ! annoncèrent solennellement les deux fripons. C'est léger comme la toile d'araignée. On croirait n'avoir rien sur le corps ! Si Votre Majesté daigne se déshabiller, nous lui essaierons ses habits neufs. »

L'empereur sourit, obéit, leva les jambes comme pour enfiler le pantalon, tendit les bras comme pour mettre l'habit, baissa les épaules comme pour revêtir le manteau.

Le grand chambellan et le premier ministre se baissèrent comme pour ramasser la traîne, élevèrent les mains comme pour la soulever, puis, lorsque l'empereur s'approcha de son miroir, ils s'exclamèrent avec toute la cour :

un chambellan :
un noble au service du roi.

« Quelle coupe élégante ! Quels dessins ! Quelles couleurs ! Quel précieux costume ! »

L'empereur très coquet s'admira dans son miroir, sourit de bonheur et avoua :

« Je crois que je ne suis pas mal ainsi ! »

Puis, il sortit de son palais et s'en alla à travers la ville si gaie.

À toutes les fenêtres, dans toutes les rues, les gens criaient :

« Quel superbe costume ! Que la traîne est gracieuse ! Que la coupe est parfaite ! Ah, comme cela sied bien à l'empereur ! »

cela lui sied bien :
cela lui va bien.

Edmond Dulac, illustration pour *Les Habits neufs de l'empereur*.

Soudain, de la foule, une voix d'enfant s'éleva haute et claire :
« Mais l'empereur n'a pas d'habit ! L'empereur est tout nu !
– L'empereur n'a pas d'habit ! L'empereur est tout nu ! » chuchotèrent d'autres enfants en riant.
La nouvelle se répandit comme une traînée de poudre, et brusquement, la foule imita le premier petit enfant. Elle cria :
« Mais l'empereur n'a pas d'habit ! L'empereur est tout nu ! »
L'empereur très coquet frissonna. Il lui sembla que son habit neuf ne lui tenait guère chaud, que ses sujets disaient peut-être vrai. Mais il ne rougit ni ne s'enfuit : il redressa la tête et, majestueux, impérial, il poursuivit son chemin… pour la plus grande joie de deux tisserands fripons et de nombreux enfants !

....

▼ Que disent les tisserands et que font-ils ?
▼ Pourquoi tout le monde fait-il semblant de voir le tissu ?
Pourquoi l'enfant dit-il la vérité ?
▼ Que penses-tu de l'empereur ?
Des personnages qui l'entourent ?
▼ Invente un autre titre pour ce conte.
▼ À ton avis, quel est le personnage le plus important de cette histoire ? Explique ta réponse.

....

Passeur de fugitifs

Virginia Hamilton, adaptation de Agnès Kahane, *Quand les hommes savaient voler,*
Contes populaires noirs américains, Éditions Random House.

Cette histoire se passe vers 1860 dans le Kentucky, un État du sud des
États-Unis d'Amérique. À cette époque, dans cette région, de nombreux
esclaves travaillaient encore dans les plantations de coton.
Il s'agit probablement d'une histoire vraie.

Je n'avais jamais imaginé que je pourrais un jour faire passer la
rivière aux esclaves fugitifs. Pourtant j'étais là, dans la plantation, juste à côté de la grande rivière, mais il ne me serait jamais
venu à l'idée de faire une chose pareille. Mais une nuit, la
femme chez qui j'étais allé un temps faire ma cour me dit
qu'elle connaissait une jolie fille qui voulait traverser la rivière,
et me demanda si je voulais bien la lui faire passer. Je suis allé la
trouver, elle était rudement jolie. Et bientôt on en était déjà aux
détails, la femme m'expliquait comment m'y prendre et à quel
moment partir.

Je dis que j'avais besoin de réfléchir. Mais chaque jour, la fille
ou la femme venait me demander si j'étais d'accord pour faire
passer la fille de l'autre côté de la rivière, à un endroit qui s'appelait Ripley. Et je finis par accepter. Une nuit je suis allé chez
la femme. Mon propriétaire me faisait confiance, il me laissait
aller et venir comme je voulais, à condition que je n'essaie pas
de lire ou écrire. Parce que les esclaves n'avaient pas le droit
d'écrire ni de lire.

J'avais bien entendu parler, par les autres esclaves, de l'autre
côté de la rivière. Mais je croyais que c'était pareil là-bas qu'ici
dans la plantation où on habitait. Je croyais qu'il y avait des
esclaves et des maîtres comme ici, et des surveillants qui vous
fouettaient avec leurs lanières de cuir brut. C'est pour ça que

mon propriétaire :

celui auquel j'appartenais (les esclaves appartenaient au propriétaire de la plantation, ils n'étaient pas libres).

Illustration sur le travail des Noirs dans les plantations de cannes à sucre, 1826.

j'avais tellement la frousse. Je m'imaginais qu'une fois que j'aurais débarqué la fille, il se trouverait là-bas un surveillant qui nous battrait pour nous punir d'être sortis la nuit. C'est des choses qui arrivaient, vous savez.

Finalement je me suis décidé. Ça m'a paru long, cette traversée en barque, il faisait froid, et puis je n'étais pas du tout tranquille. Mais voilà que j'aperçois une lumière qui brille loin là-haut. Et alors je me rappelle ce qu'elle m'a dit, la femme : que quand je verrai une lumière, j'amène la barque dans cette direction. C'est ce que j'ai fait. Et quand je suis arrivé à cet endroit, il y avait là deux hommes, ils ont saisi la fille, puis l'un d'eux m'a pris par le bras. Il m'a demandé si j'avais faim. S'il ne m'avait pas retenu, je serais tombé à l'eau.

Après ce premier voyage, j'ai eu longtemps très peur. Mais d'autres gens m'ont demandé de les faire traverser, et j'ai fini par m'y habituer. Deux ou trois à la fois, que j'en prenais. Je faisais trois ou quatre voyages par mois.

Quand même, c'était drôle : à part la fille de la première fois, je n'ai jamais pu voir mes passagers. C'est parce que je les faisais traverser les nuits où il n'y avait pas de lune, où il y avait des nuages. Et on se retrouvait toujours dehors, ou bien dans une maison pas éclairée. Comme ça je ne les voyais pas, je n'aurais pas pu les reconnaître ni les décrire. Je leur demandais juste : « Qu'est-ce que vous dites ? » Et ils disaient le mot de passe. Quelque chose comme « Menare ». C'était peut-être un mot qui venait de la Bible, je n'en sais trop rien. Je ne les faisais traverser que s'ils disaient ce mot-là.

Là-bas, à Ripley, il y avait un Mr. Rankins (les autres on les appelait John, je crois). Il avait un relais pour les esclaves fugitifs. J'appris que l'Ohio était un État libre, et comme ça, une fois que les gens avaient traversé, Mr. Rankins s'occupait d'eux. On partait la nuit pour pouvoir revenir en chercher d'autres sans risquer d'être suivis par les chasseurs d'esclaves. Mr. Rankins avait une grande lumière allumée à trente pieds du sol, il la faisait brûler toute la nuit. Ça signifiait la liberté pour les esclaves s'ils arrivaient à atteindre cette lumière qui brillait.

Je travaillais dur et je faillis me faire prendre. Il y avait presque quatre ans que je faisais passer des fugitifs. C'était en 1863 et cette nuit-là j'avais fait traverser quatre esclaves jusque chez Mr. Rankins. J'avais débarqué une fois de retour dans le Kentucky, et alors je me suis aperçu qu'on me suivait. Comment on m'avait surpris, j'en ai pas la moindre idée. En tout cas les chasseurs d'esclaves, des types que je connaissais pas, ils étaient sur ma trace. Je dus m'enfuir de la plantation et quitter tous ceux que je connaissais. Je vécus dans les champs et les bois. Et même dans des grottes. Parfois je dormais dans les arbres. Ou encore dans des meules de foin. Plus moyen de traverser la rivière, qui était surveillée de trop près.

Je finis quand même par traverser. Moi et ma femme on est partis en pleine nuit. J'étais retourné la chercher à la plantation. Entre temps Mr. Rankins s'était procuré une cloche en plus de sa lumière. On a ramé, ramé. On voyait la lumière, on entendait la cloche, mais on n'avait pas du tout l'impression d'approcher, comme si la traversée devait durer toujours. C'est parce qu'on avait tellement peur et qu'il faisait tellement noir et qu'on pouvait nous attraper et nous empêcher pour toujours de partir.

l'Ohio :
l'État qui se trouve de l'autre côté de la rivière.

un État libre :
un État où il n'y a plus d'esclaves.

un pied :
une unité de mesure égale à 32,4 cm.

Enfin on a fini par arriver. On a débarqué et en avant vers la liberté ! Ça s'est passé quelques mois seulement avant la libération de tous les esclaves.

On n'est pas restés à Ripley. On a continué sur Detroit parce que je ne voulais pas courir de risques. À présent j'ai des enfants et des petits-enfants. Vous savez, les grands ça ne les intéresse pas tellement, les récits de ce temps-là ; mais les petits, ils ne se lassent pas d'entendre raconter comment leur grand-papa a aidé à se libérer des quantités d'esclaves qu'il pouvait seulement toucher dans le noir, mais qu'il n'a jamais pu voir.

Illustration sur le travail des Noirs dans les plantations de cannes à sucre, 1826.

▼ Où l'histoire se passe-t-elle ? À quelle époque ?
▼ Qui raconte l'histoire ?
▼ Qu'a-t-il fait ? Pendant combien de temps ?
▼ À quoi vois-tu que ce qu'il a fait était dangereux ?
▼ Que penses-tu de ce passeur et de la manière dont il raconte son histoire ?

Dédale et Icare

Eduard Petitška, *Mythes et légendes de la Grèce antique*, Librairie Gründ, 1971.

Voici une histoire grecque très ancienne. Dédale est architecte. Minos, le roi de Crète, lui a demandé de construire un labyrinthe pour y enfermer le Minotaure, monstre mi-homme, mi-taureau. Mais ensuite, parce que Dédale lui a désobéi, Minos ne veut plus le laisser partir. Avec des plumes, des fils et de la cire, Dédale décide de fabriquer des ailes pour lui et son fils Icare. Ils pensent pouvoir s'enfuir en volant comme des oiseaux.

Le lendemain, Dédale réveilla Icare de bonne heure. Il attacha en premier ses propres ailes, les agita et s'éleva dans les airs. Puis il montra à son fils comment il devait se servir des siennes, tout comme un oiseau apprend à son petit à voler. Icare s'élança comme son père et se mit à rire de plaisir en tournoyant au-dessus des arbres et des falaises.

« Fais bien attention, recommanda l'artisan, ne vole pas trop haut, car le soleil ferait fondre la cire et flamber tes ailes. Ne vole pas non plus trop bas, car les vagues te mouilleraient et t'alourdiraient avant de t'entraîner au fond de la mer. »

Dédale embrassa son fils et tous deux s'envolèrent. Le père allait en avant et se retournait sans cesse pour surveiller son élève qui suivait scrupuleusement ses instructions.

En bas, les bergers admiraient leurs évolutions en pensant qu'il s'agissait sûrement de dieux de l'Olympe se rendant sur terre pour voir comment vivent les hommes.

Les mains des pêcheurs qui tiraient leurs filets se mirent à trembler dès qu'ils les aperçurent.

Puis Dédale et Icare survolèrent la mer.

À leur vue les rameurs cessèrent de ramer et fixèrent avec émerveillement ces deux points dans le ciel.

l'Olympe :

l'endroit où habitent les dieux grecs.

La Crète était déjà loin derrière eux et Dédale, heureux du succès de son entreprise, s'abandonnait à de joyeuses pensées sur sa patrie qu'il allait enfin retrouver. Quant à Icare, il battait l'air de ses ailes légères avec ravissement. Il aurait bien aimé s'élever un peu plus, mais, tant que son père se retournait, il n'osait

Pieter Bruegel l'Ancien (vers 1525-1569), *La Chute d'Icare*, 73,5 x 120 cm.

pas lui désobéir. Maintenant que celui-ci, songeur, oubliait de le regarder, il en profita pour enfreindre ses ordres.

Il s'envola plus haut, encore plus haut ; grisé par l'altitude, il se mit à chanter. Il s'approcha de l'équipage du dieu Soleil si près qu'il put admirer le char en or. Mais pendant ce temps la chaleur faisait son effet et la cire des ailes fondait. De grosses gouttes jaunes tombèrent dans la mer. Les fils et les plumes se décollèrent et laissèrent passer le vent.

Icare battit l'air une dernière fois de ses bras nus et tomba en poussant un cri. Il périt noyé tandis que les crêtes étincelantes des vagues rejetaient une poignée de blanc duvet.

Entendant la voix de son fils, Dédale se retourna et l'appela. Personne ne lui répondit. Le ciel immense était vide et la mer déserte.

l'équipage du dieu Soleil :
le char sur lequel se déplace Apollon, dieu grec du Soleil.

▼ Qu'a inventé Dédale dans cette histoire ? Pour quelles raisons ?
▼ Pourquoi les bergers prennent-ils Dédale et Icare pour des dieux ?
▼ Cette histoire est à la fois belle et triste. Pourquoi ?
▼ À ton avis, pourquoi cette histoire est-elle restée célèbre ?

Le vent du Nord et le Soleil

Margaret Clark, *Fables d'Ésope*,
traduites par Marie Farré, Gallimard, 1991.

Le Soleil, peinture sur parchemin,
détail, art éthiopien, XVIIIe-XIXe siècles.

On ne compare pas
le vent du Nord et l'astre roi.
Soleil criait : « Je suis le plus fort !
– Je te battrai », criait le vent du Nord.
Un concours fut décidé sur l'heure.
Qui des deux arracherait
le manteau d'un promeneur ?
Le vent du Nord souffla,
rude et violent, dans son dos.
Le promeneur s'enveloppa frileusement
dans son manteau. Alors le soleil brilla,
et il fit si chaud que le promeneur
ôta son manteau.

▼ Quels sont les deux « personnages » de cette fable ?
▼ Qu'est-ce que l'astre roi ?
▼ Que décident le vent et le soleil ?
▼ Qui gagne le concours ?
▼ Quelle est la morale de cette histoire ?

La grenouille qui veut se faire aussi grosse que le bœuf

Jean de La Fontaine, *Fables*, I, 3, 1668.

Une grenouille vit un bœuf
Qui lui sembla de belle taille.
Elle, qui n'était pas grosse en tout comme un œuf,
Envieuse, s'étend, et s'enfle, et se travaille
Pour égaler l'animal en grosseur ;
Disant : Regardez bien, ma sœur ;
Est-ce assez ? dites-moi ; n'y suis-je point encore ? –
Nenni. – M'y voici donc ? – Point du tout. – M'y voilà ?
– Vous n'en approchez point. La chétive pécore
S'enfla si bien qu'elle creva.

Le monde est plein de gens qui ne sont pas plus sages :
Tout bourgeois veut bâtir comme les grands seigneurs,
Tout petit prince a des ambassadeurs,
Tout marquis veut avoir des pages.

nenni :
non.

une pécore :
ici, une bête,
un animal.

un page :
un jeune noble
au service d'un roi
ou d'un seigneur.

▼ Quels sont les « personnages » de cette fable ?
▼ Que veut la grenouille ? Que lui arrive-t-il ?
▼ Pourquoi les quatre derniers vers sont-ils imprimés en caractères différents ?
▼ Explique la morale de cette fable avec tes mots.

Le roi Arthur

Vladimír Hulpach, adaptation française de Dominique Kugler,
Les Chevaliers de la Table Ronde, Librairie Gründ, 1988.

L'histoire se passe au VIe siècle après Jésus-Christ, chez les Bretons.
Les Bretons habitaient le pays qui s'appelle aujourd'hui l'Angleterre.

Antor, accompagné de son fils Keu et du jeune Arthur, avait parcouru à cheval des centaines de lieues depuis le lointain pays de Galles pour participer au tournoi. Keu, qui venait d'être armé chevalier depuis quelques mois seulement, devait croiser le fer avec son adversaire et il brûlait d'envie de prouver son talent.

Arthur n'avait pas encore quinze ans et, selon la coutume, il était l'écuyer de Keu, il devait prendre soin de sa cotte d'armes et porter sa lance, ainsi que son écu.

un écu :
un bouclier.

Après un voyage épuisant, ils arrivèrent à Londres à la veille du Nouvel An et trouvèrent un logis dans une auberge proche des remparts de la ville, non loin du champ clos où devaient se tenir joutes et tournois.

Le jeune Keu dormit à peine cette nuit-là. Dès l'aube, il avait déjà revêtu son haubert étincelant, et suppliait Arthur et son père Antor de se hâter tant il avait peur de manquer le début de la rencontre.

un haubert :
un vêtement de combat fait en fils de métal.

Ce fut bien en avance qu'ils parvinrent sur le champ clos où se pressait une foule dense et bigarrée. Mais, tout à coup, Keu s'aperçut que, dans sa hâte, il avait oublié son épée à l'auberge, et il envoya Arthur la chercher.

L'écuyer rebroussa chemin au plus vite, mais il trouva la porte et les volets clos : les domestiques étaient déjà partis voir les tournois.

Arthur se demanda que faire. Son frère ne pouvait tout de

Scène de tournoi, enluminure pour
le *Roman des chevaliers Galaad,
Tristan et Lancelot*, XVe siècle.

même pas rester sans épée ! Alors il se souvint qu'en passant devant la cathédrale, il avait vu une épée fichée dans une enclume.

Il enfourcha son cheval qu'il piqua des deux. La place était déserte et, sans plus réfléchir, Arthur mit pied à terre, saisit l'épée par la poignée et la tira sans plus de mal que si elle eût été plantée dans une motte de glaise !

Le jeune homme ne s'attarda même pas à lire l'inscription en lettres d'or qui figurait sur le socle ; il enfour-cha prestement sa monture et se hâta de rejoindre Keu.

– Voilà, mon cher frère ! lui cria-t-il de loin.

piquer des deux :

piquer le cheval avec les éperons pour le faire aller vite.

Mais lorsqu'il s'arrêta et vit l'expression de surprise qui se peignait sur le visage de celui-ci, Arthur expliqua :

– Je sais que ce n'est pas ton épée, mais l'auberge était close. Celle-ci te servira aussi bien, je l'ai tirée de l'enclume, sur la grand-place.

Mais Keu n'écoutait plus Arthur. Il avait bien vu cette épée la veille au soir et savait ce qui attendait celui qui l'avait tirée de son socle. Il courut vers son père en brandissant l'épée et s'écria hors d'haleine :

– Je suis roi de Bretagne, père ! Cette épée a décidé de ma destinée !

– Est-ce toi qui l'as tirée de l'enclume ? s'enquit Antor en hochant la tête d'un air dubitatif.

Le jeune chevalier fut décontenancé.

– Non, Arthur me l'a apportée. Mais c'est moi qui lui avais demandé d'aller chercher cette épée. Et, au demeurant, un simple écuyer ne saurait prétendre devenir roi.

– Nous allons tirer cela au clair, intervint Antor pour couper court à toute discussion. Et il se dirigea vers la place de la cathédrale en compagnie d'Arthur et de Keu.

Arrivé devant l'étrange enclume, il s'arrêta et dit à son fils :

– Maintenant, essaie de confirmer ta prétention au trône en enfonçant à nouveau l'épée dans son enclume de fer.

Messire Keu leva le bras et abattit l'épée de toutes ses forces sur l'enclume, mais l'arme ne fit que rebondir sur le métal. Ensuite, ce fut le tour d'Arthur. Sans le moindre effort, le jeune garçon enfonça l'épée dans l'enclume jusqu'à la garde.

– Il faut la ressortir maintenant, dit Keu en saisissant la poignée de l'arme pour tenter encore sa chance. Mais, une fois de plus, il s'avéra qu'Arthur était bel et bien le seul qui pût accomplir cet exploit.

Le jeune chevalier avait beau tirer sur l'épée de toutes ses forces, celle-ci ne bougeait pas d'un cheveu, alors que son écuyer la tira et la remit en place plusieurs fois de suite.

Arthur Rackham (1867-1939), illustration pour
La Légende du Roi Arthur et des Chevaliers de la Table Ronde, 1920.

Alors, Antor et Keu s'agenouillèrent devant le jeune homme et lui baisèrent les mains.

– Relevez-vous, père, et toi aussi mon frère, pourquoi vous prosternez-vous ainsi devant moi ? demanda Arthur, étonné.

– Parce que toi et toi seul es le vrai roi de ce pays, lui expliqua Antor. Tu n'es pas mon fils ni le frère de Keu, bien que je t'aie élevé comme tel. En vérité, le sage Merlin t'a confié à moi peu après ta naissance. Ton père était Uter Pendragon et ta mère la douce Ygerne. Le fait que tu aies pu tirer l'épée de l'enclume est la preuve de ton droit. Nul autre que le vrai roi ne pouvait y parvenir.

Ayant dit cela, Antor mena Arthur, encore frappé d'étonnement par ce qu'il venait d'entendre, chez l'archevêque pour lui annoncer la nouvelle.

Cependant, les barons refusaient de croire que le jeune garçon avait accompli une telle prouesse, aussi Arthur fut-il obligé, à trois reprises, de tirer l'épée sous leurs yeux. La troisième fois, ce fut le jour de la Pentecôte.

Alors les plus envieux et les plus sceptiques, tous ceux qui ricanaient, objectant qu'Arthur était trop jeune pour monter sur le trône, durent faire amende honorable, car la plupart des seigneurs et des petites gens acclamèrent Arthur, leur nouveau souverain.

Puis l'archevêque bénit l'épée du roi et les plus fameux hommes d'armes le firent chevalier.

Peu après, Arthur fut couronné.

faire amende honorable :

reconnaître qu'on a eu tort.

▼ Qui est Arthur au début de l'histoire ? Qui est-il à la fin ?

▼ Imagine l'inscription écrite en lettres d'or sur l'enclume.

▼ Pourquoi Keu dit-il à son père qu'il est roi de Bretagne ? Que penses-tu de lui ?

▼ Quel est le caractère d'Arthur ?

▼ À ton avis, Arthur trouve-t-il l'épée par hasard ?

Le prunier

Michelle Nikly, *Le Prunier*, Albin Michel Jeunesse, 1982.

Au pays du Soleil Levant vivait autrefois un Empereur qui possédait le plus beau jardin qui se puisse imaginer. Il avait fallu des années pour l'amener au point de perfection où il se trouvait au moment où commence cette histoire. Chaque arbre, chaque fleur, chaque pierre avait son importance et contribuait à l'harmonie de cette œuvre d'art.

Or, un matin, au cours de sa promenade, l'Empereur vit que l'un de ses pruniers avait péri. Il en conçut aussitôt un très vif chagrin, car pour lui l'harmonie de son jardin en était irrémédiablement brisée. Il ne put désormais en supporter la vue. Il s'enferma dans son palais, et n'en voulut plus sortir.

Les dignitaires de la Cour s'inquiétèrent fort du chagrin de l'Empereur. Un prunier en était la cause, un prunier seul pourrait guérir sa tristesse. Ils se mirent donc en quête d'un arbre qui fût en tous points semblable à celui que l'on avait dû abattre. Des émissaires furent envoyés partout et visitèrent jusqu'aux moindres petites îles. Enfin ils découvrirent, dans le jardin d'un peintre nommé Ukiyo, un prunier ressemblant parfaitement à celui de l'Empereur. Quand les envoyés de la Cour annoncèrent qu'il allait être déterré pour être replanté dans le Parc Impérial, Ukiyo, le peintre, Tanka, sa femme, et Musuko, leur petit garçon, furent bien désolés car ce

contribuer à l'harmonie : *aider à rendre agréable un ensemble de choses.*

un dignitaire : *une personne importante.*

un émissaire : *une personne que l'on envoie quelque part pour accomplir une mission.*

Hokusai (1760-1849), *Fauvette et fleurs de prunier*, estampe.

une estampe :
une gravure.

prunier était leur ami très cher : on retrouvait souvent ses branches torturées, étoilées de fleurs, dans les estampes de Ukiyo ; Tanka, qui écrivait des poèmes, avait de nombreuses fois puisé son inspiration au cœur de son tronc noueux.

Enfin, le prunier abritait un rossignol qui était devenu l'ami du petit Musuko. Il venait souvent au pied de l'arbre pour lui parler. Le rossignol lui répondait dans son merveilleux langage et tous deux semblaient se comprendre comme seuls deux amis véritables peuvent le faire. Cependant, il importait davantage que l'Empereur fût guéri de son chagrin. Aussi, Ukiyo et sa famille acceptèrent-ils de se séparer du prunier, à la condition toutefois qu'on le leur laisse encore un jour.

Le lendemain, quand le prunier fut déterré et prêt à être enlevé, le petit Musuko s'avança vers l'envoyé de l'Empereur. Il demanda d'une voix tremblante la faveur d'attacher un petit rouleau de papier à l'une des branches. Voyant que le petit garçon refoulait bravement ses larmes, le dignitaire fut touché par son courage et il le souleva lui-même de terre. Musuko attacha son rouleau et caressa doucement une dernière fois le prunier.

Portrait de l'empereur Go-Toba, attribué à Nobuzane (avant 1185 - après 1265), peinture sur soie, art japonais, détail.

Quand il fut replanté dans le Jardin Impérial, l'Empereur consentit à sortir du palais. Il considéra longuement l'arbre, tandis que les courtisans attendaient, anxieux. Enfin, un sourire se dessina sur son visage, au grand soulagement de tous. L'harmonie régnait à nouveau dans le Parc, le chagrin n'y avait plus sa place.

Cependant l'Empereur, ayant remarqué le rouleau qui pendait à l'une des branches, se le fit apporter et le déroula.

Une estampe délicate apparut, qui représentait une merveilleuse branche de prunier portant un rossignol.

Kobô Daishi enfant, peinture sur soie, art japonais, XIIIᵉ siècle.

Une poésie était peinte au bord de l'estampe :

> « Que ce prunier console
> Notre Empereur de son chagrin
> Et orne à jamais son jardin.
> Mais l'enfant, dont c'était l'ami,
> Que dira-t-il au rossignol
> Quand il cherchera son logis ? »

Le souverain s'étant enquis de la provenance de l'arbre, ordonna que l'on fît venir ses anciens propriétaires. Tandis qu'on allait les chercher il voulut rester seul et on le vit méditer longuement auprès du prunier.

Enfin Ukiyo, Tanka et Musuko arrivèrent, très impressionnés de paraître devant l'Empereur. Ils se tenaient prosternés,

s'étant enquis :
ayant demandé.

L'empereur Xuan Zong et Yang Gui Fei, détail d'un paravent, art japonais, XVIIe siècle.

n'osant porter les yeux sur lui. Le souverain, après les avoir fait relever, s'adressa à Musuko.

« Ainsi donc, Enfant, tu ne sais quoi dire à ton ami le rossignol, à qui l'on a pris son logis. Tu crains qu'il ne te quitte. Eh bien dis-lui que le prunier, qui lui a été emprunté un jour par la volonté de l'Empereur, lui sera rendu demain par décision de l'Empereur. »

Ukiyo et Tanka voulurent parler, mais le souverain leur dit :

« J'ai pleuré longtemps la perte de mon prunier, et mon chagrin ne s'est enfui que lorsque le vôtre est venu le remplacer. Cependant, je ne pourrai souffrir, en le voyant chaque jour, la pensée qu'un enfant a perdu son ami à cause de moi. »

« Je te rends donc ton arbre, dit-il à Ukiyo, mais auparavant, tu feras une peinture représentant mon jardin tel que tu le vois aujourd'hui. La mort du prunier m'a fait pressentir d'autres morts : les pêchers, les pins, les bambous même, un jour ne seront plus. Mon jardin est éphémère, et c'est sa fragilité qui en fait le prix. Bien fou étais-je de vouloir aller contre cette évidence. Demain commencera le temps du souvenir et ton dessin, Ukiyo, sera là pour témoigner de la perfection de ce jour. Quant à toi, Tanka, je te charge d'écrire cette histoire pour que l'on raconte longtemps aux enfants comment l'Empereur du Japon a appris la sagesse d'un prunier, d'un rossignol et d'un petit garçon. »

éphémère :
qui ne dure pas.

▼ Où l'histoire se passe-t-elle ?
▼ Quel est le « malheur » qui déclenche toute l'histoire ?
Pourquoi l'Empereur est-il si triste ?
▼ Que se passe-t-il ensuite ?
Retrouve les différents épisodes du récit et donne-leur un titre.
▼ Que penses-tu de l'Empereur ?
▼ Quelle est la morale de cette histoire ?

Les hommes
de pierre de Soutilé

Marie Féraud, *Le Sorcier de Niamina et autres contes de l'Afrique de l'Ouest*, Hachette Jeunesse, 1995.

Il existait jadis, miraculeusement préservé de la maladie et de la guerre, un pays du nom de Soutilé – on disait aussi Soutilé l'abondance.

Cette prospérité dura des lunes et des lunes pendant lesquelles les habitants de ce pays jouirent en toute tranquillité de leurs richesses.

Mais peu à peu, gavés et repus, les hommes de Soutilé s'endurcirent, et la convoitise régna dans les cœurs : les terres ne produisaient jamais assez de mil et de patates, les greniers n'étaient jamais assez pleins, les troupeaux pas assez fournis… Enfin, les habitants de Soutilé devinrent si gras que chacun resta chez soi ; le baobab de la place n'abritait plus personne à l'heure de la palabre et les étrangers étaient si mal reçus que plus personne ne passait par là.

la palabre : le fait de se réunir pour discuter.

Un seul homme souffrait de cette indifférence, c'était Kimanbo, le griot – le conteur et l'homme sage du village. Quelques rares enfants et les chiens de Soutilé venaient encore l'écouter raconter les légendes de la brousse, et l'histoire ancienne de la tribu. Mais les autres se moquaient de lui. Chacun vivait pour soi, Kimanbo n'avait plus de fonction, et on le traitait de fou.

Détail d'une porte Yoruba, art du Nigeria.

Un après-midi, les gens de Soutilé virent arriver dans leur beau village, poursuivi par une nuée de mouches vertes, un jeune homme en haillons couvert de plaies larges et purulentes : un lépreux. Il tenait à la main gauche l'écuelle des mendiants, et à la main droite une branche de feuillage en guise de chasse-mouches. Il avançait avec difficulté, s'arrêtant souvent pour chercher du regard un secours, peu de choses, de l'eau, une poignée de mil…

Mais les cases restaient obstinément closes, tandis que des dizaines d'yeux suivaient sa lente déambulation entre les bambous.

« Hommes de Soutilé, criait le lépreux devant chaque case. Qui d'entre vous me viendra en aide ? »

De partout, on le chassa : les enfants lui envoyaient des pierres, les gens l'injuriaient, les chiens, excités, le harcelaient. Quand enfin il parvint au centre du village, sous le baobab protecteur de Soutilé, le lépreux, épuisé, mourant de faim, s'écroula. Et les mouches tourbillonnantes envahirent la place.

Alors on vit Kimanbo, le griot, sortir de chez lui et, aidé de sa femme, transporter le jeune homme dans sa cour. Là, sa fille aînée et sa femme le lavèrent avec soin et pansèrent ses plaies. Une chambre fut mise à sa disposition, ainsi qu'un grand pagne blanc pour se vêtir. On lui offrit la bouillie de mil et l'hydromel de l'hospitalité.

Peu avant la tombée du jour, le lépreux avait retrouvé ses forces. Il se leva, et, contre toute attente, refusa l'invitation à rester pour la nuit.

purulent :
plein de pus.

la déambulation :
la marche.

l'hydromel :
*une boisson
à base de miel.*

Détail d'une porte Yoruba, art du Nigeria.

Il eut seulement cette phrase surprenante, en prenant congé de ses hôtes.

« Je dois repartir, et je vais vous demander un grand sacrifice. Il faut que vous et les vôtres quittiez cette nuit même le village. N'attendez surtout pas le chant du coq. »

Kimanbo le griot n'était pas féticheur, mais il comprit que des choses extraordinaires se préparaient. Et comme il avait bon cœur, il parcourut le village, suppliant ses voisins d'abandonner Soutilé avant le chant du coq.

Les habitants de Soutilé avaient l'oreille aussi dure que le cœur, et chacun se moqua du griot.

« Kimanbo, tu es fou ! dirent les uns. Le lépreux t'a donné la fièvre. »

Et ils s'enfuirent à son approche.

« Kimanbo, tu es un voleur ! crièrent les autres. Tu veux t'emparer de nos biens quand nous serons loin. »

« Kimanbo, tu es un plaisantin ! se moquèrent les plus riches.

Coqs affrontés, fixé-sous-verre, art africain.

Tu veux donc nous faire perdre notre graisse ! »
Et de montrer, avec fierté, leur énorme ventre.
À minuit, tandis que Soutilé dormait pesamment, Kimanbo le griot et sa famille partirent – seuls – vers la brousse. Leur cœur était lourd, mais il existait bien d'autres pays que Soutilé de par le monde, et, de toute façon, ils n'étaient plus heureux chez eux.
Le lendemain, lorsque le soleil sécha l'humidité de l'aube, un silence de cimetière enveloppait le village.

Personnages,
art du Nigeria, entre
le IIIe et le XIe siècle.

Surpris encore endormis, ou occupés aux menus travaux du matin, les habitants de Soutilé étaient changés en pierre...
Des femmes devant leur foyer, soufflant sur la flamme pour la ranimer, des hommes avec leur bétail ou leurs outils, prêts à partir pour les champs, des enfants jouant avec les chiens, tous, pétrifiés à jamais, par la malédiction du lépreux, tous, y compris les animaux, transformés en statues.
Soutilé était devenu un village de pierre...
Ce village – dit-on – existe avec ses hommes de pierre, quelque part, dans le pays appelé Tanoessou. On le sait. On en parle.
Mais personne ne l'a jamais vu, car c'est un village ensorcelé.
Soutilé l'abondance est devenu Soutilé le maudit.

....

▼ Comment vivent les habitants de Soutilé au début de l'histoire ?
Pourquoi Kimanbo n'aime-t-il plus vivre dans son village ?
▼ Quel est le rôle du lépreux ?
▼ Explique le titre du conte.
▼ Qu'as-tu appris sur l'Afrique en lisant ce conte ?
▼ Quelle est la morale de cette histoire ?

....

Le théâtre

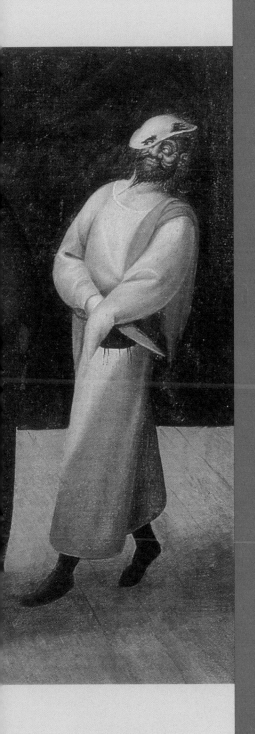

Claude Caroly, *La traversée du R.E.R.*, 1980.

Perdu

Yak Rivais, *Le MÉTRO MÉ pas TRO*, « Neuf », L'École des loisirs, 1991.

(Un homme perdu s'adresse à des gens qui le croisent. Ils ne l'écoutent pas et filent.)

Le perdu – Excusez-moi, Monsieur. Je suis perdu. Je…
(L'homme passe.)… Excusez-moi, Madame, je suis perdu dans le métro depuis avant-hier et je… *(La dame l'évite et passe.)*… Excusez-moi, Madame, je suis entré dans le métro sans faire attention et je me… *(La dame passe.)*… Excusez-moi, Monsieur, je suis entré à la place d'Italie avant-hier, et j'ai pris une centaine de rames et je n'arrive pas à ressortir parce que… *(L'homme passe.)* Excusez-moi, Monsieur, je…
(L'homme à qui il s'adressait s'est arrêté. Mais c'est lui qui demande :)
L'homme – Pour aller à la station Châtelet, c'est quelle direction ?
Le perdu – Eh bien, je… Excusez-moi, je suis perdu moi-même, je suis entré dans le métro avant-hier et je…
L'homme – Avant-hier seulement ? Moi ça fait six mois !
(L'homme s'en va. Le perdu reste seul.)

▼ Où la scène se passe-t-elle ?
▼ Qui sont les deux personnages principaux ? Que leur arrive-t-il ?
▼ Combien faut-il d'acteurs pour jouer cette pièce ?
▼ Les choses pourraient-elles se passer de cette manière dans la réalité ?
Explique ta réponse.
▼ Est-ce que ce texte te paraît drôle ? Pourquoi ?

Au restaurant

Denise Chauvel, *Au restaurant*, in *Des spectacles pour les enfants, Du mime à la pièce de théâtre*, **6-12 ans**, Retz, 1991.

La scène se passe dans un restaurant.

Le client – Garçon, s'il vous plaît, l'addition.

Le garçon *entre* – Voyons, Monsieur, vous avez bien eu une salade, un boudin-purée, un fromage, une tarte aux pommes, un café. Je vous fais l'addition.

Le garçon sort.

Le client – Jamais il n'arrivera à faire cette addition. Peut-on additionner des tomates et du boudin ?… *(Il se frappe le front du plat de la main.)* C'est mathématiquement impossible.

Le garçon revient.

Le client – Ah ! *(Il prend un air soulagé.)* Vous n'avez pas pu faire mon addition ?

Le garçon – Non, car je crois avoir oublié de vous compter la salade verte, alors…

Le client *furieux* – Comment, c'est seulement pour cela que vous n'avez pu faire l'addition ? Vous voulez additionner ce qui n'est pas additionnable. Ne savez-vous pas *(air contrit et stupéfait du garçon)* qu'il est mathématiquement impossible d'additionner des choses différentes ? « Un boudin + deux boudins », c'est possible. Comment voulez-vous additionner un café et un boudin, et pourquoi pas un petit pois et une citrouille ? Vous êtes absurde, ridicule, illogique, insensé, sot, stupide, idiot. Et vous voudriez me faire payer une addition extravagante, déraisonnable, irréalisable ! C'est cela, nous sommes en pleine irréalité. Prenez votre machine à calculer, essayez de taper un boudin, une salade, un fromage, et alors… et alors… et alors, rien. N'appelez pas le patron, inutile, je ne peux payer une addition où il n'y a rien. *(Il se lève.)* Au revoir Monsieur. *(Il sort.)*

contrit :
········
désolé, confus.

Le garçon *a l'air catastrophé, il se frappe la tête* – Une salade, un boudin, une tarte aux pommes, c'est vrai que c'est absurde… mais qui va payer ?

Il sort.

Édouard Vuillard (1868-1940), *Le Petit Café de Tristan Bernard*, détail.

....

▼ Où se passe la scène ? À quel moment ?

▼ Que cherche à démontrer le client ?
Es-tu d'accord avec son raisonnement ?

▼ À ton avis, pourquoi le client fait-il cela ?

▼ Comment imagines-tu les deux personnages ? Aide-toi des indications de jeu.

....

La farce du cuvier

Farces et fabliaux du Moyen Âge, traduits par Christian Poslaniec, adaptés pour le théâtre par Robert Boudet, Nouvelles et romans de l'École des loisirs, 1986.

La femme et la belle-mère de Jacquinot ont décidé qu'il ferait tout le travail de la maison. Et pour que les choses soient bien claires, elles lui font faire une liste par écrit.

La Cuisson du pain, enluminure,
pour *Tacuinum Sanitatis* d'Albercasis, vers 1390-1400.

La Mère – Ensuite, Jacquinot, il faut

Pétrir et cuire le pain, faire la lessive…

La Femme – Tamiser la farine, laver, décrasser…

La Mère – Aller, venir, trotter, courir

Et vous démener comme un diable.

La Femme – Faire le pain, chauffer le four…

La Mère – Aller faire moudre au moulin…

La Femme – Faire le lit tôt le matin,

Sous peine d'être bien battu…

La Mère – Et puis mettre le pot au feu

Et tenir la cuisine nette.

Jacquinot – S'il faut que j'écrive tout ça,

Il faut le dire mot à mot.

La Mère – Allons, écrivez, Jacquinot :

Pétrir le pain…

La Femme – Le faire cuire…

Jacquinot – Faire la lessive.

La Femme – Tamiser la farine…

La Mère – Laver…

La Femme – Décrasser…

Jacquinot – Laver quoi ?

La Mère – Les pots et les plats.

Jacquinot – Attendez, n'allez pas si vite :

Les pots et les plats.

La Femme – Et les écuelles.

Jacquinot – Palsambleu, moi qui n'ai pas de mémoire,

Je n'arriverai pas à tout retenir.

La Femme – Écrivez-le pour vous en souvenir.

Vous entendez ? Car je le veux.

palsambleu :

ce mot est
une exclamation,
un juron.

▼ Comment Jacquinot va-t-il occuper ses journées ?
▼ Comment te représentes-tu les personnages :
leurs attitudes, leurs gestes, leurs paroles ?
▼ Essaie d'imaginer la suite de la pièce.

César et Landolfi

Marcel Pagnol, *Marius*, Bernard de Fallois.

La scène se passe dans le café de César, sur le port de Marseille. Panisse et Monsieur Brun sont des clients, mais aussi des voisins et des amis. Monsieur Brun revient d'un voyage à Paris.

César – Vous vous êtes beaucoup promené, là-bas ?

M. Brun – Oh ! oui. Chaque soir, après mes cours, j'allais flâner sur les boulevards…

César – Alors, vous avez vu Landolfi ?

M. Brun – Qui est-ce, Landolfi ?

César – Un Parisien que j'ai connu au régiment. Un grand blond, un peu maigre, avec une paupière qui retombe…
Allons, vous l'avez sûrement rencontré !

M. Brun – Eh ! non, je n'ai pas vu Landolfi.

César – Vous ne l'avez pas vu ?

M. Brun – Non.

au régiment :

pendant le service militaire.

César – Alors, il est mort.

Panisse, *consterné* – Oh ! peuchère !

M. Brun – Mais non ! Vous savez, Paris est grand, et on n'y connaît pas tout le monde comme ici.

César, *incrédule* – C'est vraiment beaucoup plus grand que Marseille ?

M. Brun – J'ai vu au moins quarante Canebières !

César et Panisse éclatent d'un rire joyeux.

César – Ô Panisse ! Quarante Canebières ! Et après, on dira que nous exagérons ! Et vous êtes vérificateur ! Quelle mentalité ! Ah ! on voit bien que vous êtes Lyonnais, vous ! *(La sirène des docks siffle. César regarde la pendule.)* Ô coquin de sort : midi et demi !

Il sort brusquement en courant.

la Canebière : *la principale avenue de Marseille.*

les docks : *les hangars du port.*

Images du film *Marius* d'Alexander Korda, 1931.

▼ Qui sont les trois personnages ? Où habitent-ils ?
▼ Qui est Landolfi ? Pourquoi César pense-t-il que Monsieur Brun l'a forcément rencontré à Paris ?
▼ Pourquoi César se moque-t-il de Monsieur Brun ? À ton avis, a-t-il raison ?

Sganarelle et Pancrace

Molière, *Le Mariage forcé*, 1664.

Sganarelle a envie de se marier, mais il n'est pas sûr d'avoir raison. Alors il décide de demander l'avis de personnes autour de lui. Ici, il veut parler avec Pancrace qui passe pour être très savant.

Sganarelle – Eh ! laissez tout cela, et prenez la peine de m'écouter.

Pancrace – Soit. Que voulez-vous me dire ?

Sganarelle – Je veux vous parler de quelque chose.

Pancrace – Et de quelle langue voulez-vous vous servir avec moi ?

Sganarelle – De quelle langue ?

Pancrace – Oui.

Sganarelle – Parbleu ! de la langue que j'ai dans la bouche. Je crois que je n'irai pas emprunter celle de mon voisin.

La Troupe des comédiens italiens dits les farceurs «Gelosi», peinture anonyme du XVIe siècle.

Pancrace – Je vous dis : de quel idiome, de quel langage ?

Sganarelle – Ah ! c'est une autre affaire.

Pancrace – Voulez-vous me parler italien ?

Sganarelle – Non.

Pancrace – Espagnol ?

Sganarelle – Non.

Pancrace – Allemand ?

Sganarelle – Non.

Pancrace – Anglais ?

Sganarelle – Non.

Pancrace – Latin ?

Sganarelle – Non.

Pancrace – Grec ?

Sganarelle – Non.

Pancrace – Hébreu ?

Sganarelle – Non.

Pancrace – Syriaque ?

Sganarelle – Non.

Pancrace – Turc ?

Sganarelle – Non.

Pancrace – Arabe ?

Sganarelle – Non, non, français.

Pancrace – Ah ! français.

Sganarelle – Fort bien.

Pancrace – Passez donc de l'autre côté ; car cette oreille-ci est destinée pour les langues scientifiques et étrangères, et l'autre est pour la maternelle.

Claude Gillot (1673-1723),
Le Tombeau de maître André, détails.

▼ Les deux personnages ne se comprennent pas au début. Pourquoi ?
▼ À ton avis, Pancrace est-il vraiment obligé de citer toutes ces langues ?
Explique ta réponse.
▼ Quelle est la langue maternelle de Pancrace ?
▼ Penses-tu que Pancrace est vraiment un savant ? Explique ta réponse.

Le jugement de Renart

Gérard Moncomble et Michel Piquemal, *17 pièces humoristiques pour l'école*, Bibliothèque Richaudeau/Albin Michel, 1996.

Tibert, le chat, lit l'acte d'accusation de Renart, qui est debout, les mains liées.

Tibert – Renart, vous comparaissez devant ce tribunal à la demande d'un grand nombre de plaignants qui en ont fait requête auprès de Sa Majesté le Roi. Vous êtes accusé d'avoir troublé l'ordre de notre bon pays, à de nombreuses reprises…

Le Lion – Mon ami, si prrrreuve de tes vilenies est faite, mon jugement serrrra terrrrrrible !

Renart, *suppliant* – Je suis innocent, Votre Grâce, aussi blanc que l'agneau qui vient de naître.

Le Lion – On va voirrrr ça ! Grrrreffier, faites entrrrrer les témoins.

Entrent successivement une poule, un lapin, un ours et un loup. Quand un témoin a fini sa déposition, le témoin suivant s'avance.

La Poule, *en larmes* – Il m'a mangé tous mes œufs… mes petits, mes chers petits…

L'assistance, *avec réprobation* – Hooo !

Quelqu'un dans l'assistance – C'est une honte, il faut le pendre au grand chêne.

Le Lapin – Il a poursuivi mes lapinots dans la basse-cour… Et si le fermier n'était pas arrivé à temps, ce diable en aurait fait son déjeuner…

L'assistance – Hooo !

Quelqu'un dans l'assistance – C'est un scandale, il faut lui couper la tête !

Le Roi Lion, *tapant avec son sceptre sur l'accoudoir du trône* – Silence,

---

un plaignant :
une personne qui dépose une plainte contre quelqu'un.

faire requête :
demander.

une vilenie :
une action méchante, honteuse, un méfait.

un greffier :
un secrétaire dans un tribunal.

ou je fais évacuer la salle… sacrrrrebleu !

L'Ours – Il m'a emmené avec lui chercher du miel… Lui, il a eu le miel, moi j'ai eu les piqûres d'abeilles…

L'assistance, *ricanant* – Eh eh eh !

L'Ours, *l'air bougon* – C'est pas drôle !

Quelqu'un dans l'assistance – Tu as raison, compère Ours, ce n'est pas drôle !

Un autre – Mais ça fait rire !

Un autre – Tiens donc, ça te fait rire… qui sait si demain ce ne sera pas ton tour !

L'assistance – Oui… Oui…

Le Lion – Silence, morrrrbleu ! Je vous écoute, Messirrre Loup !

Ysengrin – Ce Renart est un brigand de la pire espèce. Il m'a joué tant de tours qu'il y aurait de quoi en faire un Roman.

Une voix dans l'assistance, *criant* – Raconte-nous un peu, Ysengrin ! Raconte !

Le Loup – Il m'a enfermé dans un puits, il m'a volé les poissons que j'avais pêchés, il m'a fait rosser par les hommes… Regardez, j'y ai perdu le bout de ma queue. *(Il se tourne et montre à l'assistance une queue courte, enveloppée de sparadraps. Cela fait frémir l'assistance.)*

rosser :
....
battre.

Une voix dans l'assistance – Et à moi, Monsieur du Corbeau, il m'a piqué mon calandos !

Une autre voix dans l'assistance – Qu'est-ce que c'était comme fromage ?

Le Corbeau – Un camembert bien coulant, moelleux à souhait.

L'assistance – Humm !

Le Lion – Assez ! Cela suffit ! Il y a là de quoi l'envoyer dix ans aux galèrrrres ! RRRRenarrrt, qu'as-tu à dirrrre pourrr ta défense ?

Renart – Tous ces méfaits sont exacts… mais ce n'est pas moi qui les ai commis !

Quelqu'un dans l'assistance – Oh, quel culot !

Un autre – Il a un sacré toupet !

Renart – Je vous le jure, Votre Grâce, c'est une terrible méprise !

une méprise :
....
une erreur.

Le Lion – Terrrrrible méprrrrise !… Comment oses-tu ? Ils t'ont tous vu !

Renart – Ce n'est pas moi qu'ils ont vu, mais mon cousin gerrrrmain. C'est lui le méchant, la frrripouille qui se joue de la terrrrre entièrrrre !

Le Lion – Ton cousin ? Et où se cache-t-il donc ce bougrrrre ?

Renart, *faisant signe avec le doigt* – Chhhhttt !

Il s'approche du Roi Lion et lui murmure quelque chose à l'oreille.

Le Lion, *interloqué* – Tout prrrrès d'ici, dis-tu ? *(criant)* Garrrrdes, fouillez l'assistance !

Dans un grand désordre, les gardes se mettent à parcourir la scène en tous sens, faisant mine de fouiller partout.

Renart prend alors Sire Lion par la « patte ». Il lui montre le puits…

Renart – Votre Altesse, c'est ici que ça se passe !

la margelle :
le bord.

Il l'amène jusqu'à la margelle du puits, où ils se penchent tous les deux.

Le Roi Lion – Crrrénomdieu ! Grreffier, venez voir !

Tibert s'approche et s'accoude lui aussi.

Le Chat – Témoins, venez ici !

Les quatre témoins se penchent de même.

L'Ours – Là, je le vois…

La Poule – Tout au fond, c'est bien lui…

Le Lapin – Jetons-lui des pierres…

Le Lion, *se tournant vers le public* – Oui, que justice soit rrrendue… Jetez-lui des pierrrres !

Des enfants du jury apportent l'un après l'autre de fausses pierres en carton qu'ils jettent par-dessus la margelle.

s'esquiver :
se sauver, s'enfuir.

Renart s'esquive et fait un clin d'œil au public.

L'Ours – Je ne vois plus rien ! Il a dû mourir noyé !

Le Roi Lion, *sur un ton grave* – Justice a été rrrendue !

Le Chat – Paix à son âme !

L'Ours – Tout de même, c'était un fieffé coquin…

Renart, *tandis que Tibert lui enlève ses chaînes* – Et dire que ce bandit voulait me faire accuser à sa place !

La Poule – Pauvre Renart, pardonne-nous !

L'Ours, qui s'était absenté, revient avec un pot de miel et l'offre à Renart.

Rudolf Rahn (1805-1886), gravure pour *Le Roman de Renart*, d'après Wilhelm von Kaulbach.

L'Ours – Tiens, voilà un pot de miel pour nous faire pardonner.

Le Lapin, *à Renart* – Nous t'avons accusé à tort. Suis-nous… nous allons te couvrir de cadeaux.

Renart, *se dirigeant avec tous les autres personnages vers les coulisses* – Vous êtes trop bons !

Avant de quitter la scène, Renart se retourne pour faire un dernier clin d'œil au public.

Le lion reste seul. Il va jeter un coup d'œil par-dessus la margelle du puits et se gratte la tête, pensif.

monologuer :
parler tout seul.

Le Lion, *monologuant* – Diable ! Mais n'est-ce point mon cousin que j'aperrrçois au fond du puits ? Que fait-il là lui aussi ? *(Il crie.)* Cousin ! Eh là, cousin ! *(Il lève la tête hors du puits et se tourne vers le public.)* Il ne rrrépond pas. L'humidité l'aurrra rrrendu sourrrd… *(Il se gratte une nouvelle fois la tête d'un air songeur.)* Tout de même, drrrôle d'endrrroit pourrr se bâtirrr sa maison !

Il quitte la scène d'un pas de monarque.

un monarque :
un roi.

Rudolf Rahn, gravure pour
Le Roman de Renart, détail.

▼ Qui est l'accusé ? Qui sont les témoins ?
Quel est le rôle de Tibert ? Quel est celui du lion ?
▼ Retrouve les deux grands épisodes du texte et donne-leur un titre.
▼ Fais la liste de toutes les mauvaises actions de Renart.
▼ Comment s'y prend-il pour se défendre ? Qu'y a-t-il vraiment au fond du puits ?
▼ C'est un procès pour rire. À quoi le vois-tu ?

La poudre aux yeux

Eugène Labiche, *La Poudre aux yeux*, 1861.

Honoré Daumier (1808-1879),
Le Bourgeois.

Frédéric Ratinois doit se marier avec Emmeline Malingear. Les parents Ratinois font tout pour paraître plus riches qu'ils ne le sont en réalité, et les Malingear font de même.

Acte II, scène 8

Le maître d'hôtel, *entrant et saluant. Il est en habit.*
– Madame…
Madame Ratinois – Monsieur, nous avons un dîner.
Ratinois, *assis.* – Un grand dîner…
Le maître d'hôtel – Combien de personnes ?…
Madame Ratinois – Nous sommes… six.
Ratinois – Mais vous ferez comme pour douze…
Nous recevons un personnage… le docteur Malingear…
dont vous avez sans doute entendu parler ?
Le maître d'hôtel – Non, monsieur.
Ratinois – Ah ! Après ça, il ne traite que les gens comme
il faut.
Le maître d'hôtel – Voici ce que je proposerai à madame :
deux potages… bisque et potage à la reine.
Ratinois – Y a-t-il des truffes ?…
Le maître d'hôtel – Non, monsieur… Il n'y a pas
de potage aux truffes.
Ratinois – C'est dommage !
Madame Ratinois – Après ?…
Le maître d'hôtel – Relevé…
Frédéric, *entrant.* – Me voilà !
Ratinois et Madame Ratinois – Frédéric !
Ratinois, *se levant.* – Tu ne sais pas ?… Ils sont venus.

une bisque :
*un potage fait
avec des crustacés.*

un relevé :
un nouveau plat.

La Poudre aux yeux, mise en scène de Jacques Charon à la Comédie-Française, 1975.

Frédéric – Qui ?

Ratinois – Les Malingear.

Frédéric – Ah bah !

Madame Ratinois – Tu plais à la demoiselle.

Ratinois – Au père, à la mère ; tout est arrangé.

Frédéric – Est-il possible ?

Madame Ratinois, *ouvrant ses bras.* – Ah ! Mon enfant !
(Ils s'embrassent.)

Ratinois, *ouvrant ses bras.* – Et moi ?…

Frédéric – Mon père ! *(Ils s'embrassent.)*

Le maître d'hôtel, *ne sachant quelle contenance faire et à part.*
– Je les gêne ! *(Il remonte et va regarder un tableau.)*

Ratinois – Je les ai invités à dîner pour ce soir.

Frédéric – Ah ! Quelle bonne idée !

Madame Ratinois – Et nous sommes en train de commander
le menu…

Ratinois – Voici le maître d'hôtel ! Eh bien, où est-il donc ?
(L'appelant.) Hé ! Monsieur ?…

Le maître d'hôtel, *descendant.* – Pardon !…

la contenance :

*la façon d'être,
de se comporter,
l'attitude.*

Ratinois, *à Frédéric.* – Nous étions au relevé… tu vas nous aider.

Le maître d'hôtel – Relevé… La carpe du Rhin à la Chambord, flanquée de truffes.

Ratinois – Très bien !…

Le maître d'hôtel – Avec des crevettes en boucles d'oreilles.

Ratinois, *tout à coup.* – Ah ! Sapristi !…

Frédéric et Madame Ratinois – Quoi donc ?…

Ratinois – J'ai invité l'oncle Robert !… Les boucles d'oreilles m'y font penser.

Madame Ratinois – Lui ? C'est impossible !

Frédéric – Pourquoi ?…

Madame Ratinois – Nous ne pouvons pas le faire asseoir à la même table que les Malingear !

Le maître d'hôtel – Je les gêne ! *(Il remonte au tableau.)*

Frédéric – Mais c'est mon oncle, un si brave homme !

Ratinois – Oui ; mais il n'est pas de notre monde… D'abord, il a une manière de manger… Il met son couteau dans sa bouche.

Madame Ratinois – Et il prend dans le plat avec sa fourchette.

Ratinois – Et il verse du vin dans son bouillon !… Ça peut être bon pour l'estomac ; mais c'est horrible à l'œil nu.

Frédéric – Ce n'est pas une raison.

Ratinois – Voyons, mon ami, raisonnons ! Ce n'est pas au moment où nous faisons le sacrifice d'un magnifique dîner que nous allons le déparer ?… Car enfin, quelle figure veux-tu que fasse l'oncle Robert en face d'une carpe du Rhin à la Chambord ? Il aura l'air d'un plat de choux ! Veux-tu servir un plat de choux ?…

Madame Ratinois – Nous l'inviterons pour demain.

Ratinois – À manger les restes… C'est convenu. Continuons… Après la carpe ?… *(Cherchant le maître d'hôtel.)* Eh bien, où est-il donc ? *(L'appelant.)* Hé ! Monsieur ?… Il s'en va toujours !

Le maître d'hôtel, *revenant.* – Pardon !…

Ratinois – Après la carpe ?…

Le maître d'hôtel – Entrée : filet de bœuf braisé aux pois nouveaux…

déparer :
gâcher l'harmonie
de quelque chose.

Ratinois – Avec des truffes ?

Le maître d'hôtel – Si vous le désirez.

Ratinois – Parbleu !…

Le maître d'hôtel – Rôti : faisan doré de la Chine… aux truffes.

Ratinois – Très bien ! *(À Frédéric.)* Vois-tu l'oncle Robert en présence d'un faisan doré de la Chine ?… Il serait gêné, cet homme !

un entremets :
un plat servi entre le rôti et le dessert.

Le maître d'hôtel – Pour entremets, je voulais vous offrir des truffes à la Lucullus en surprise… mais vous avez déjà beaucoup de truffes.

Ratinois – Ça ne fait rien, ça ne fait rien !…

Madame Ratinois – Servez des truffes à la Lucullus… Ah ! J'ai dîné dernièrement dans une maison où l'on changeait de couteau et de fourchette à chaque plat.

Le maître d'hôtel – Cela se fait partout, maintenant.

Madame Ratinois – C'est que je n'ai que vingt-quatre couverts…

Philibert Louis Debucourt
(1755-1832),
Au Gourmand, enseigne
de l'épicerie Corcellet.

Ratinois – Eh bien, vous ne me changerez pas le mien.

Frédéric – Ni le mien.

Madame Ratinois – Ni le mien.

Le maître d'hôtel – On lavera au fur et à mesure.

Ratinois – C'est juste. *(À part.)* Il est intelligent !…
(Haut.) Voyons le dessert, maintenant…

Le maître d'hôtel – Pour milieu, je vous proposerai une pièce de pâtisserie montée.

Ratinois – Quelque chose de très haut !

Le maître d'hôtel – C'est une tour de Nankin en buisson d'ananas, surmontée d'un Chinois filé en sucre.

Madame Ratinois – Oh ! Cela doit être charmant !…

Ratinois – Combien vous vendez ça ?

Le maître d'hôtel – Soixante-quatre francs.

Ratinois – Ah ! Permettez !… les sucreries, ça me connaît… en ma qualité d'ancien…

Madame Ratinois, *vivement.* – C'est bien !… Nous verrons… Nous réfléchirons.

Le maître d'hôtel – Quand madame voudra, c'est tout prêt. Quelle marque préférez-vous pour le champagne ?… du Moët ou de La Veuve ?

Madame Ratinois – « De la veuve » ?

Ratinois – Quelle « veuve » ?

Frédéric – La Veuve Clicquot… C'est le meilleur.

Ratinois – Et qu'est-ce que vous vendez ça ?

Le maître d'hôtel – Douze francs… le Moët n'est que de six.

Ratinois – Alors, nous verrons… Nous réfléchirons.

Madame Ratinois – Faites-nous le dîner pour six heures précises.

Le maître d'hôtel – Madame peut être tranquille. *(Fausse sortie.)*

Ratinois, *le rappelant.* – Ah ! monsieur le maître d'hôtel !

Le maître d'hôtel – Monsieur ?…

Ratinois – Il y a un plat auquel je tiens essentiellement… mais je ne sais pas son nom. On le sert tout à la fin… C'est de l'eau chaude avec de la menthe qu'on boit…

Nankin :
une ville de Chine.

Le maître d'hôtel – Ce sont des bols.

Frédéric – Ça ne se boit pas !

Ratinois – Tiens !… Moi, j'ai bu !…

Le maître d'hôtel, *sortant, à part.* – En voilà des épiciers !… *(Il disparaît.)*

Ratinois – Allons, je crois que nous aurons un joli petit dîner… On en parlera !…

Madame Ratinois – Nous avons oublié le plus important.

Ratinois – Quoi donc ?

Madame Ratinois – Les Malingear ont un chasseur, il faut absolument que nous montrions une livrée.

Ratinois – C'est vrai.

Frédéric – À quoi bon ?

Ratinois – Il faut faire les choses dignement.

Madame Ratinois, *à part.* – Le locataire du premier… un créole… est parti pour la campagne et a laissé ses domestiques… si je pouvais… *(Haut.)* Viens, Frédéric, j'ai besoin de toi… des commissions à te donner.

Frédéric – Je te suis, maman. *(Ils sortent tous deux.)*

un chasseur :
un serviteur.

une livrée :
un costume de domestique chez des personnes riches.

▼ Qui les Ratinois invitent-ils à dîner ? Pourquoi ?
▼ Retrouve le menu. Qu'en penses-tu ?
▼ Les Ratinois veulent paraître riches : relève tout ce qui le montre.
▼ Les Ratinois veulent paraître distingués : relève tout ce qui le montre.
▼ Quelle opinion le maître d'hôtel a-t-il des Ratinois ?
▼ Explique le titre de la pièce.

Agence de voyages

Eugène Ionesco, *Exercices de conversation et de diction françaises pour étudiants américains*, Théâtre V, Gallimard, 1976.

Personnages
Le client, l'employé, la femme

Le client – Bonjour, monsieur. Je voudrais deux billets de chemin de fer, un pour moi, un pour ma femme qui m'accompagne en voyage.

L'employé – Bien, monsieur. Je peux vous vendre des centaines et des centaines de billets de chemin de fer. Deuxième classe ? Première classe ? Couchettes ? Je vous réserve deux places au wagon-restaurant ?

Le client – Première classe, oui, et wagon-lit. C'est pour aller à Cannes, par l'express d'après-demain.

L'employé – Ah… C'est pour Cannes ? Voyez-vous, j'aurais pu facilement vous donner des billets, tant que vous en auriez voulu, pour toutes directions en général. Dès que vous précisez la destination et la date, ainsi que le train que vous voulez prendre, cela devient plus compliqué.

Le client – Vous me surprenez, monsieur. Il y a des trains, en France. Il y en a pour Cannes. Je l'ai déjà pris, moi-même.

L'employé – Vous l'avez pris, peut-être, il y a vingt ans ou trente ans, dans votre jeunesse. Je ne dis pas qu'il n'y a plus de trains, seulement ils sont bondés, il n'y a plus de places.

Affiche de la fin du XIXᵉ siècle.

Raoul Dufy (1877-1953), *La Jetée, promenade à Nice*, 38 x 46,5 cm.

Le client – Je peux partir la semaine prochaine.

L'employé – Tout est pris.

Le client – Est-ce possible ? Dans trois semaines…

L'employé – Tout est pris.

Le client – Dans six semaines.

L'employé – Tout est pris.

Le client – Tout le monde ne fait donc que d'aller à Nice ?

L'employé – Pas forcément.

Le client – Tant pis. Donnez-moi alors deux billets pour Bayonne.

L'employé – Tout est pris, jusqu'à l'année prochaine.
Vous voyez bien, monsieur, que tout le monde ne va pas à Nice.

Le client – Alors donnez-moi deux places pour le train qui va à Chamonix…

L'employé – Tout est pris jusqu'en 1980…

Le client – …Pour Strasbourg…

L'employé – C'est pris.

Le client – Pour Orléans, Lyon, Toulouse, Avignon, Lille…

L'employé – Tout est pris, pris, pris, dix ans à l'avance.

Le client – Alors, donnez-moi deux billets d'avion.

L'employé – Je n'ai plus aucune place pour aucun avion.

Le client – Puis-je louer, dans ce cas, une voiture avec ou sans chauffeur ?

L'employé – Tous les permis de conduire sont annulés, afin que les routes ne soient pas encombrées.

Le client – Que l'on me prête deux chevaux.

L'employé – Il n'y a plus de chevaux. (Il n'y en a plus.)

Le client, *à sa femme* – Veux-tu que nous allions à pied, jusqu'à Nice ?

La femme – Oui, chéri. Quand je serai fatiguée tu me prendras sur tes épaules. Et vice versa.

Le client, *à l'employé* – Donnez-nous, monsieur, deux billets pour aller à pied jusqu'à Nice.

L'employé – Entendez-vous ce bruit ? Oh, la terre tremble. Au milieu du pays un lac immense, une mer intérieure vient de se former (d'apparaître, de surgir). Profitez-en vite, dépêchez-vous avant que d'autres n'y pensent. Je vous propose une cabine de deux places sur le premier bateau qui va à Nice.

. . . .

▼ Que veulent les clients au début ?

▼ Comment l'employé réagit-il d'abord ? Que se passe-t-il ensuite ?

▼ Comment la pièce se termine-t-elle ?

▼ Invente un autre titre à cette pièce pour montrer que c'est une histoire un peu folle.

. . . .

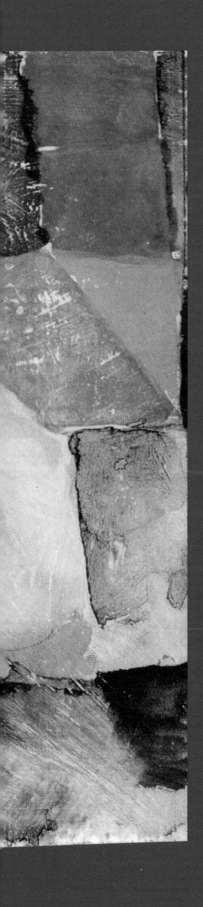

Les poésies

Le chimpanzé

Jean-Luc Moreau, *L'Arbre perché*,
« Enfance heureuse », Éditions Ouvrières, 1980.

Un chimpanzé se vit dans un miroir :
– « Que cette bête est laide à voir !
Si j'avais – dit-il – cette bille !…
Pour sûr, ce doit être un gorille… »

Je connais pour ma part plus d'un civilisé
Qui ressemble à ce chimpanzé.

Les points sur les « i »

Luc Bérimont, *Mon premier alphabet*, Hachette, 1937.

Je te promets qu'il n'y aura pas d'*I* verts
Il y aura des *I* bleus
Des *I* blancs
Des *I* rouges
Des *I* violets, des *I* marron
Des *I* guanes, des *I* guanodons
Des *I* grecs et des *I* mages
Des *I* cônes, des *I* nattentions
Mais il n'y aura pas d'*I* verts

Anagrammes

Pierre Coran, *Jaffabules*, in *L'Écharpe d'Iris*, Hachette, 1990.

Par le jeu des anagrammes,
Sans une lettre de trop,
Tu découvres le sésame
Des mots qui font d'autres mots.

Me croiras-tu si je m'écrie
Que toute *neige* a du *génie* ?

Vas-tu prétendre que je triche
Si je change ton *chien* en *niche* ?

Me traiteras-tu de vantard
Si une *harpe* devient *phare* ?

Tout est permis en poésie.
Grâce aux mots, l'*image* est *magie*.

Pablo Picasso (1881-1973),
Le Magicien, dessin.

Triangles

Guillevic, *Euclidiennes*, Gallimard, 1967.

Wassily Kandinsky (1866-1944),
Résonance multicolore, 30 x 20 cm.

Isocèle

J'ai réussi à mettre
Un peu d'ordre en moi-même

J'ai tendance à me plaire.

Équilatéral

Je suis allé trop loin
Avec mon souci d'ordre

Rien ne peut plus venir.

Rectangle

J'ai fermé l'angle droit
Qui souffrait d'être ouvert
En grand sur l'aventure.

Je suis une demeure
Où rêver est de droit.

Ping-pong

Jacques Gaucheron, in *Luttes et luths*, 200 poèmes inédits sur le sport, réunis par Jacques Charpentreau, « Fleurs d'encre », Poche Jeunesse, Hachette, 1992.

Balle dure
La main sûre
L'œil véloce

Grêle oblique
en zig-zag
Quel trafic !

La main vive
les raquettes
qui voltigent

Et plic et ploc
du tac au tac
tric et choc

Rac et traque
Ric à rac
Ploc plic plaque

Pong et ping
On réplique
Ping-pong.

Jean Arp (1887-1966), Sans titre, 1920, gouache sur papier, 31,5 x 24,3 cm.

Pablo Picasso (1881-1973),
Boisgeloup sous la pluie, 47,5 x 83 cm.

Il pleut

Raymond Queneau, *L'Instant fatal* précédé de *Les Ziaux*, Gallimard, 1948.

Averse averse averse averse averse averse
pluie ô pluie ô pluie ô ! ô pluie ô pluie ô pluie !
gouttes d'eau gouttes d'eau gouttes d'eau gouttes d'eau
parapluie ô parapluie ô paraverse ô !
paragouttes d'eau paragouttes d'eau de pluie
capuchons pèlerines et imperméables
que la pluie est humide et que l'eau mouille et mouille !
mouille l'eau mouille l'eau mouille l'eau mouille l'eau
et que c'est agréable agréable agréable
d'avoir les pieds mouillés et les cheveux humides
tout humides d'averse et de pluie et de gouttes
d'eau de pluie et d'averse et sans un paragoutte
pour protéger les pieds et les cheveux mouillés
qui ne vont plus friser qui ne vont plus friser
à cause de l'averse à cause de la pluie
à cause de l'averse et des gouttes de pluie
des gouttes d'eau de pluie et des gouttes d'averse
cheveux désarçonnés cheveux sans parapluie

La chanson
de Gavroche

Victor Hugo, *Les Misérables.*

On est laid à Nanterre,
C'est la faute à Voltaire,
Et bête à Palaiseau,
C'est la faute à Rousseau.

Je ne suis pas notaire,
C'est la faute à Voltaire,
Je suis petit oiseau,
C'est la faute à Rousseau.

Victor Hugo (1802-1885), *Gavroche à six ans*, dessin.

Joie est mon caractère,
C'est la faute à Voltaire,
Misère est mon trousseau,
C'est la faute à Rousseau.

Je suis tombé par terre,
C'est la faute à Voltaire,
Le nez dans le ruisseau,
C'est la faute à Rousseau.

Victor Hugo , *Gavroche rêveur*, dessin.

Paysan

Claude Roy (poème chinois, 2 300 ans avant J.-C.), *Un seul poème*, Gallimard, 1954.

Marc Riboud,
Labour des rizières
près de Kwelin
en Chine, XXᵉ siècle.

Du petit jour
Jusqu'au couchant
Je sue, laboure
Mon maigre champ.
Je creuse un puits
sème mon grain
mange mon riz
et bois mon vin.
Que peut me faire
le gouvernant ?
Si pas de guerre
Je suis vivant.

Le printemps

Charles d'Orléans, *Chansons et rondeaux*, XVᵉ siècle.

Le Temps a laissé son manteau
De vent, de froidure et de pluie,
Et s'est vêtu de broderie
De soleil luisant, clair et beau.

Il n'y a bête ni oiseau
Qu'en son jargon ne chante ou crie :
« Le Temps a laissé son manteau
De vent, de froidure et de pluie. »

Rivière, fontaine et ruisseau
Portent en livrée jolie
Gouttes d'argent d'orfèvrerie ;
Chacun s'habille de nouveau :
Le Temps a laissé son manteau.

Enluminure pour *Un songe de Georges de Chasteaulens*,
XVᵉ siècle.

La ronde autour du monde

Paul Fort, *Ballades françaises*, tome 1, Flammarion, 1897.

Henri Matisse
(1869-1954),
La Danse, 260 x 391 cm.
© Sucession Henri Matisse.

Si toutes les filles du monde voulaient s'donner la main,
tout autour de la mer elles pourraient faire une ronde.

Si tous les gars du monde voulaient bien êtr' marins,
ils f'raient avec leurs barques un joli pont sur l'onde.

Alors on pourrait faire une ronde autour du monde,
si tous les gens du monde voulaient s'donner la main.

Le dernier de la liste

Jean-Pierre Andrevon, *Chères bêtes*,
« Folio Cadet Or », Gallimard, 1994.

Et moi alors,
dit le chien,
on m'a oublié ?

Toi ?
Tu n'es que l'ombre
d'un homme.

Alberto Giacometti (1901-1966),
Le Chien, bronze, 44 x 92 x 15 cm.

Écrire à tout venant

Claude Haller, *Poèmes du petit matin*, « Fleurs d'encre », Hachette, 1994.

Pour toi
J'écrirais un poème
Sur le confetti
Sur le timbre-poste
Sur la carte à jouer
Pour toi
J'écrirais un poème
N'importe où
N'importe comment
Tant qu'il est encore temps

Pour toi
J'écrirais un poème
Sur l'affiche
Sur la vitrine
Sur le mur blanc

Pour toi
J'écrirais un poème
N'importe où
N'importe comment
Pourvu qu'il soit encore temps

Pour toi
J'écrirais un poème
Sur le bord du pré
Sur le lit du fleuve
Sur le ciel à l'horizon
Pour toi
J'écrirais un poème
N'importe où
N'importe comment
Il n'est peut-être plus temps ?

J'ai tendu...

Arthur Rimbaud, *Illuminations*, 1886.

J'ai tendu des cordes
de clocher à clocher ;
des guirlandes de fenêtre
à fenêtre ; des chaînes d'or
d'étoile à étoile,
et je danse.

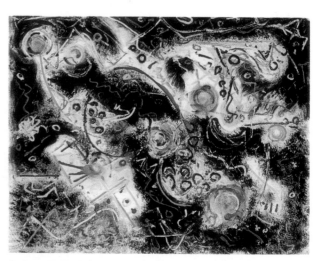

Jackson Pollock (1912-1956), Sans titre, 1943,
huile et gouache sur papier, 58 x 74 cm.

J'attends...

Hubert Mingarelli, *Le Secret du funambule*, « Zanzibar », Éditions Milan, 1992.

J'attends la pluie
dit le désert
j'attends la paix
dit le soldat
j'attends demain
dit aujourd'hui
j'attends la nuit
dit la luciole
moi aussi dit l'astronome
moi aussi dit l'étoile
j'attends le vent
dit la fleur de pissenlit

moi aussi dit l'oiseau
j'attends mon heure
dit le prisonnier
moi aussi dit la liberté
j'attends la paix
dit le soldat
tu l'as déjà dit
je sais dit le soldat
j'attends un enfant
dit la mère
j'attends tout
dit l'enfant

Ma tête

Simone Schmitzberger, in *Poèmes à toi ouvrant*, in *L'Écharpe d'Iris*, Hachette, 1990.

Ma tête
Boîte à rêves
Île aux trésors
Boîte de Pandore
Dans ma tête
Il y a tous mes secrets
Dans ma tête
Il y a des bêtes noires
qui me font peur

et des bêtes à Bon Dieu
de toutes les couleurs
Dans ma tête
je suis chez moi
quand je ferme les yeux
Et personne ne peut entrer

Pablo Picasso (1881-1973),
Le Bouquet, affiche.

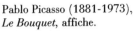

Premier vol de l'aiglon

Alfred de Musset, *Rolla.*

Lorsque le jeune aiglon, voyant partir sa mère,
En la suivant des yeux s'avance au bord du nid,
Qui donc lui dit alors qu'il peut quitter la terre,
Et sauter dans le ciel déployé devant lui ?
Qui donc lui parle bas, l'encourage et l'appelle ?
Il n'a jamais ouvert sa serre ni son aile.
Il sait qu'il est aiglon : le vent passe, il le suit.

Pisanello (avant 1395-1455),
Aigle de profil, encre noire, lavis bistre.

Le chat

Charles Baudelaire, *Les Fleurs du Mal*, 1857.

[...]

De sa fourrure blonde et brune
Sort un parfum si doux, qu'un soir
J'en fus embaumé, pour l'avoir
Caressée une fois, rien qu'une.

C'est l'esprit familier du lieu ;
Il juge, il préside, il inspire
Toutes choses dans son empire :
Peut-être est-il fée, est-il dieu.

Quand mes yeux, vers ce chat que j'aime
Tirés comme par un aimant,
Se retournent docilement
Et que je regarde en moi-même,

Eugène Delacroix (1798-1863), *Tête de chat*, aquarelle.

Je vois avec étonnement
Le feu de ses prunelles pâles,
Clairs fanaux, vivantes opales,
Qui me contemplent fixement.

Le ciel est, par-dessus le toit…

Paul Verlaine, *Sagesse*, 1881.

Le ciel est, par-dessus le toit,
    Si bleu, si calme !
Un arbre, par-dessus le toit,
    Berce sa palme.

La cloche, dans le ciel qu'on voit,
    Doucement tinte.
Un oiseau sur l'arbre qu'on voit
    Chante sa plainte.

Mon Dieu, mon Dieu, la vie est là,
    Simple et tranquille.
Cette paisible rumeur-là
    Vient de la ville.

– Qu'as-tu fait, ô toi que voilà
    Pleurant sans cesse
Dis, qu'as-tu fait, toi que voilà,
    De ta jeunesse ?

Paul Klee (1879-1940), *Maison*, aquarelle, 16 x 17,2 cm.

Chanson pour l'Auvergnat

Georges Brassens, *Chanson pour l'Auvergnat*, Éditions Ray Ventura, 1954.

Elle est à toi cette chanson
Toi l'Auvergnat qui sans façon
M'as donné quatre bouts de bois
Quand dans ma vie il faisait froid
Toi qui m'a donné du feu quand
Les croquantes et les croquants
Tous les gens bien intentionnés
M'avaient fermé la porte au nez
Ce n'était rien qu'un feu de bois
Mais il m'avait chauffé le corps
Et dans mon âme il brûle encore
À la manièr' d'un feu de joie

Toi l'Auvergnat quand tu mourras
Quand le croqu'mort t'emportera
Qu'il te conduise à travers ciel
  Au père éternel.

Elle est à toi cette chanson
Toi l'hôtesse qui sans façon
M'as donné quatre bouts de pain
Quand dans ma vie il faisait faim
Toi qui m'ouvris ta huche quand
Les croquantes et les croquants
Tous les gens bien intentionnés
S'amusaient à me voir jeûner
Ce n'était rien qu'un peu de pain
Mais il m'avait chauffé le corps
Et dans mon âme il brûle encore
À la manièr' d'un grand festin

Toi l'hôtesse quand tu mourras
Quand le croqu'mort t'emportera
Qu'il te conduise à travers ciel
  Au père éternel.

Elle est à toi cette chanson
Toi l'étranger qui sans façon
D'un air malheureux m'as souri
Lorsque les gendarmes m'ont pris
Toi qui n'as pas applaudi quand
Les croquantes et les croquants
Tous les gens bien intentionnés
Riaient de me voir emmener
Ce n'était rien qu'un peu de miel
Mais il m'avait chauffé le corps
Et dans mon âme il brûle encore
À la manièr' d'un grand soleil

Toi l'étranger quand tu mourras
Quand le croqu'mort t'emportera
Qu'il te conduise à travers ciel
  Au père éternel.

Marcel Gromaire (1892-1971), *Le Vagabond*, 100 x 81 cm.

Pour faire le portrait d'un oiseau

Jacques Prévert, *Paroles*, Gallimard, 1947.

Peindre d'abord une cage
avec une porte ouverte
peindre ensuite
quelque chose de joli
quelque chose de simple
quelque chose de beau
quelque chose d'utile
pour l'oiseau
placer ensuite la toile contre un arbre
dans un jardin
dans un bois
ou dans une forêt
se cacher derrière l'arbre
sans rien dire
sans bouger...
Parfois l'oiseau arrive vite
mais il peut aussi bien mettre de longues années
avant de se décider

François-Xavier Lalanne (né en 1927),
Oiseau Pierre Matisse,
cuivre, patine verte ou bleu, 20 x 37 x 9 cm.

Constantin Brancusi (1876-1957),
L'Oiseau dans l'espace, bronze poli,
191,5 x 13,3 x 16 cm.

Ne pas se décourager
attendre
attendre s'il le faut pendant des années
la vitesse ou la lenteur de l'arrivée de l'oiseau
n'ayant aucun rapport
avec la réussite du tableau
Quand l'oiseau arrive
s'il arrive
observer le plus profond silence
attendre que l'oiseau entre dans la cage
et quand il est entré
fermer doucement la porte avec le pinceau
puis
effacer un à un tous les barreaux
en ayant soin de ne toucher aucune des plumes de l'oiseau
Faire ensuite le portrait de l'arbre
en choisissant la plus belle de ses branches
pour l'oiseau
peindre aussi le vert feuillage et la fraîcheur du vent
la poussière du soleil
et le bruit des bêtes de l'herbe dans la chaleur de l'été
et puis attendre que l'oiseau se décide à chanter
Si l'oiseau ne chante pas
c'est mauvais signe
signe que le tableau est mauvais
mais s'il chante c'est bon signe
signe que vous pouvez signer
alors vous arrachez tout doucement
une des plumes de l'oiseau
et vous écrivez votre nom dans un coin du tableau.

Les documentaires

Aventures
sur les mers

Aventures sur les mers. Des navires et des marins, pour la pêche, la guerre, ou le Commerce, « Les Racines du savoir », Gallimard Jeunesse, 1995.

Pirate ou corsaire ?

Les pirates étaient des brigands qui attaquaient même les navires de leur propre pays. Ils sont apparus avec les premiers navires marchands, dans la nuit des temps et sur toutes les mers. Les corsaires apparurent au Moyen Âge. Leur souverain finançait l'armement de leur navire et les accueillait dans les ports où ils vendaient leurs prises et réparaient leurs navires. Capturés, ils devaient être traités en prisonniers de guerre et non en hors-la-loi. En fait, la lettre de marque ne valait rien pour l'ennemi. Les Anglais mirent à prix la tête du Français Robert Surcouf qui captura 43 de leurs navires.

l'armement :
tout ce qu'il faut pour naviguer.

une lettre de marque :
une lettre du roi qui permet à quelqu'un d'être corsaire.

À l'abordage !

Le plus souvent, les corsaires évitaient le combat, recherchant avant tout le profit. Avec leurs navires, ils attaquaient par surprise dans la nuit ou dans le brouillard et prenaient de vitesse le navire qu'ils abordaient.

Les prises

Certaines prises furent fabuleuses, notamment au XVIe siècle, quand les galions espagnols et portugais rapportaient

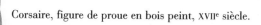

Corsaire, figure de proue en bois peint, XVIIe siècle.

d'Amérique des trésors d'or et d'argent. Le butin était reconnu par un tribunal spécial appelé la « Cour des prises » qui prélevait une partie pour le souverain. Dès le XVIIe siècle, les navires de commerce naviguèrent en convois escortés de bâtiments de guerre et les corsaires rentrèrent souvent bredouilles.

Abordage du *Triton* par le navire corsaire *Le Hasard*, gravure, début du XIXe siècle.

La flibuste

Certains corsaires ruinés s'engagèrent dans la marine, d'autres émigrèrent aux Antilles et se firent flibustiers. Entre « Frères de la côte », ils entreprirent des rapines fructueuses et de terribles razzias. Rares furent ceux qui eurent le temps d'enterrer leur trésor ; beaucoup mouraient brutalement.

« Jolly Roger »

Nul ne sait si le « Jolly Roger » des pirates (une tête de mort et deux tibias entrecroisés) a existé, mais aux XVIIe et XVIIIe siècles, les pirates arborèrent réellement des pavillons aux signes menaçants, tels que le sablier ou le squelette.

une rapine :
un vol.

fructueux :
qui rapporte beaucoup d'argent.

une razzia :
une attaque pour s'emparer de richesses.

un pavillon :
un drapeau.

▼ Les mots *pirate* et *corsaire* ont-ils le même sens ? Explique ta réponse.
▼ À quelle époque les corsaires ont-ils été particulièrement riches ?
▼ D'après le texte, donne une définition du mot *flibustier*.
Compare-la avec celle du dictionnaire.

Les baleines

Marc Aubertin, *Le Trésor des petits curieux*, in *Jubarte la Baleine*,
texte de Geneviève Petit, « Buissonnière », Éditions Didier, 1993.

Ce sont les plus gros animaux du monde. La baleine bleue et
le rorqual peuvent dépasser la longueur de 3 autocars placés
bout à bout ; leur masse atteint 150 tonnes, l'équivalent de
30 éléphants.

Il existe différentes espèces de baleine. Les spécialistes les recon-
naissent à leur taille, à la forme de leur corps, à la position des
nageoires, à l'aspect de leur peau… mais aussi à leur façon de
souffler dans l'eau.

Le souffle des baleines

En hiver, quand tu souffles, il se forme un petit nuage de buée
blanchâtre devant ta bouche. C'est ce qui se produit quand une
baleine veut souffler en surface. Mais le panache de buée a la
hauteur d'une maison de plusieurs étages. Il provient de l'air
humide que l'animal chasse de ses poumons par une sorte de
narine appelée évent. Ensuite, la baleine aspire de l'air, puis
s'enfonce dans l'eau ; on dit qu'elle sonde. Un quart d'heure
plus tard, souvent davantage, la baleine revient souffler en
surface.

Le déplacement des baleines

À la belle saison, les baleines gagnent les mers froides pour aller
se nourrir. Sais-tu que ces énormes animaux ne mangent que
de toutes petites crevettes ? Ils en avalent plusieurs centaines de
kilos chaque jour.

À l'approche de la mauvaise saison, les baleines se dirigent vers
les mers chaudes pour mettre au monde leurs petits.

La baleine est un mammifère

Elle donne naissance à un petit qui tète pendant plusieurs mois le lait de sa mère. Le baleineau peut mesurer jusqu'à 7 mètres à la naissance ; il grossit plus vite qu'aucun autre nourrisson au monde puisqu'il prend plus de 30 kilos par jour.

Le chant des baleines

Depuis que l'on a inventé un appareil appelé hydrophone, on sait que la mer n'est pas le monde du silence. L'hydrophone recueille et enregistre les bruits dans l'eau. Les enregistrements prouvent que les baleines communiquent entre elles par des sons qui font penser à des demandes et à des réponses. D'autres fois, les émissions ressemblent à des « chants » qui se transmettent très loin dans l'océan. Il reste beaucoup à découvrir pour comprendre les conversations des baleines.

Baleine française et cachalot, gravure, 1847.

Le saut des baleines

Les baleines ont besoin d'une puissance extraordinaire pour sauter hors de l'eau. C'est comme si elles soulevaient 500 personnes en même temps. Cela demande beaucoup d'énergie : pour chaque saut, l'équivalent de ce que mange un homme en une journée. Ce sont pourtant les espèces les plus grosses qui sautent le plus souvent.

On a observé que ces sauts ont lieu l'hiver plutôt que l'été. C'est en effet le moment de la reproduction. Les baleines ont alors besoin d'échanger plus de messages et de plus grande importance.

une parade :
le comportement particulier d'un animal pour attirer l'attention.

Ces sauts peuvent être aussi une sorte de parade pour montrer leur puissance, ou simplement un jeu. Les observateurs ont encore à découvrir ce que veulent vraiment dire les baleines en sautant.

Halte au massacre des baleines !

La baleine est une montagne de graisse. Les industriels peuvent en tirer de l'huile ou l'utiliser pour préparer du savon, des aliments pour le bétail… Dans certains pays, on mange de la chair de baleine.

Après des millions d'années de tranquillité dans l'immensité des océans, les baleines ont été chassées par les hommes.

En 1850, on tuait environ 50 baleines par an. Un siècle plus tard, on en massacrait mille fois plus chaque année. Le chasseur baleinier repérait facilement les baleines à leur souffle et les tuait grâce à un canon lanceur de harpons. Aussi, cette richesse des mers a failli disparaître.

Depuis quelques années, une réglementation interdit la chasse de certaines espèces (la baleine à bosse par exemple). Chaque année la période de chasse est limitée, ainsi que le nombre d'animaux qui peuvent être tués. Les hommes prennent des mesures pour empêcher la disparition des baleines. On peut maintenant espérer la survie des baleines.

▼ Pourquoi les baleines soufflent-elles ?
▼ Pourquoi voyagent-elles ?
▼ Comment communiquent-elles ?
▼ Quelle information du texte te paraît la plus étonnante ?
Explique ta réponse.

Leandro Joachim (1738-1798), *Pêche à la baleine dans la baie de Guanabara, Brésil*, détail.

Louis Braille, l'enfant de la nuit

Margaret Davidson, *Louis Braille l'enfant de la nuit*, Gallimard, 1983.

Louis Braille (1809-1852) a perdu la vue à l'âge de trois ans. Très jeune, il se met à chercher un système d'écriture qui permettrait aux aveugles de lire et écrire. Il travaille beaucoup, il cherche longtemps, et un jour, il a l'idée qui va le faire vraiment avancer.

Les autres avaient-ils raison ? Était-ce vraiment un mirage ? Des hommes intelligents, des hommes importants, des hommes sages avaient essayé, et tous, ils avaient échoué. De quel droit croyait-il pouvoir faire mieux ? « Parfois je me dis que je me suiciderai si je ne réussis pas », dit un jour Louis à Gabriel. Puis, Louis eut une autre idée. Une idée qui paraissait toute simple, une fois énoncée. L'écriture de nuit du capitaine Barbier était fondée sur les sons. Mais il y avait tant de sons en français ! Parfois il fallait une centaine de points pour transcrire un simple mot. C'était nettement trop pour les suivre avec les doigts. Mais si on utilisait les points d'une autre manière ? Et si on ne transcrivait pas les sons mais les lettres de l'alphabet ? Il n'y en avait que 26, après tout.

Louis était aux anges, certain d'avoir raison, et son ardeur redoubla. Les choses prirent une tout autre figure.

Tout d'abord, Louis, au crayon, fit six points sur une feuille de papier. Il appela cet ensemble une cellule. Voici le dessin :

Louis Braille, sculpture du XIXe siècle.

Il chiffra chaque point de la cellule. $\begin{smallmatrix}1 \bigcirc & \bigcirc 4\\ 2 \bigcirc & \bigcirc 5\\ 3 \bigcirc & \bigcirc 6\end{smallmatrix}$

Puis il prit son stylet et enfonça le point numéro 1 – voici un A.

Il enfonça les points 1 et 2 – voici un B.

Les points 1 et 4 seraient un C.

un stylet :
un objet en métal qui sert à faire des trous.

Louis fit une lettre après l'autre. Et quand il eut fini, son alphabet apparut comme ceci :

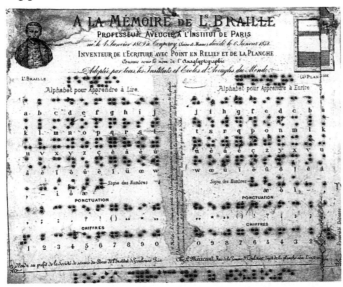

Il passa ses doigts sur son alphabet. C'était tellement simple. Louis Braille, qui avait alors quinze ans, aurait voulu rire et chanter et crier et pleurer. Toutes les lettres de l'alphabet étaient transcrites par six points – disposés de différentes façons, c'était tout ! Il savait que les gens qui voyaient n'y prêteraient pas attention, mais ce n'était pas le but de la méthode. Elle devait être sentie ! Rapidement. Facilement. Et cela était devenu possible.

▼ Explique avec tes mots comment fonctionne l'écriture Braille.
▼ Quels sont les avantages de ce système ?

La forêt

Françoise Claro, *Les Milieux naturels*, Épigones, 1987.

La forêt est avant tout le domaine des arbres. Chaque espèce, appelée *essence*, a besoin de conditions de vie particulières. C'est pourquoi on rencontre des forêts différentes, suivant le climat, le sol et l'altitude où l'on se trouve.

On attribue souvent des noms aux forêts. Par exemple, une forêt de chênes s'appelle une *chênaie* et une forêt de sapins une *sapinière*.

La forêt n'est pas uniquement peuplée d'arbres. Elle abrite de nombreux végétaux, disposés en différents niveaux (*strates*) : les mousses et les champignons, les plantes herbacées, les arbustes, puis les arbres. Certaines plantes préfèrent les endroits ombragés et d'autres la lumière.

Dans un tel milieu, les animaux trouvent une nourriture abondante, et aussi d'excellents abris. Depuis le sol jusqu'au sommet des arbres, chacun occupe l'étage qui lui convient.

L'homme vit aussi aux dépens de la forêt. Il utilise le bois pour fabriquer ses meubles, son papier, la charpente de sa maison. Depuis des siècles, l'homme défriche la forêt sans compter, pour cultiver la terre. De nos jours, il la pollue, ses autoroutes la traversent. En contrepartie, il ne reboise pas toujours correctement.

Dans la nature, la forêt joue un rôle important. Elle recycle en partie l'air et l'eau, mais aussi les matières nutritives. Par ses racines, elle s'oppose à l'érosion du sol. La forêt est indispensable, nous devons l'exploiter raisonnablement.

l'érosion :
l'usure du sol, de la pierre.

Gustave Le Gray (1820-1884), *Forêt de Fontainebleau, sous-bois au Bas-Bréan*, détail.

▼ Quelle est l'idée principale de chaque paragraphe ?
▼ Pourquoi les forêts peuvent-elles être très différentes les unes des autres ?
▼ Quels sont les différents « étages » de la forêt ?
▼ Pourquoi les forêts sont-elles indispensables ?

Lignes verticales et horizontales

Tom Tit, *La Science amusante*, Les Éditions 1900, 1989.

Prenez trois bandes de papier blanc d'égale longueur, mais dont l'une soit moitié moins large que les deux autres. Croisez en forme de **x** les deux bandes de même largeur, et à leur intersection placez verticalement la plus mince : elle paraîtra *plus longue*, et il vous faudra démontrer à l'aide du compas que les longueurs des trois bandes sont rigoureusement égales, pour que les spectateurs se rendent à l'évidence. Cette illusion, très sensible pour celui qui regardera notre dessin, le sera encore davantage avec des morceaux de papier blanc posés sur un fond de papier ou de drap noir.

Si vous faites maintenant, avec vos trois bandes, une figure ayant la forme de la lettre H, la bande étroite formant la barre horizontale, et que vous fassiez pivoter cette bande de manière à la mettre de travers, elle vous paraîtra *moins longue* que les deux bandes verticales, bien qu'elle soit exactement de même longueur.

Ainsi donc, une bande de papier qui est exactement de la longueur de deux autres vous paraîtra soit plus grande, soit plus petite, selon la position que vous lui aurez donnée par rapport à ces deux autres, et cela par suite de la curieuse illusion d'optique dont chacun pourra aisément être le jouet.

Poyet, gravure sur bois dans *La Science amusante*, XIXᵉ siècle.

▼ Que vois-tu sur l'illustration ? Observe le nombre de bandes,
leur disposition, leur longueur. Que remarques-tu ?
▼ Retrouve la phrase du texte qui correspond à chaque partie de l'illustration.
▼ Que penses-tu maintenant de ta première observation ?
▼ Qu'est-ce qu'une illusion d'optique ?

Une goutte de sang

Paul Showers, *Une goutte de sang*, Éditions Circonflexe, 1992.

Le sang est rouge parce qu'il est plein de minuscules cellules ou « globules » rouges. Les globules rouges flottent dans un liquide appelé le plasma. Ils sont infiniment petits. Il y en a des centaines, des milliers, et même des millions, dans une seule goutte de sang.

Les globules rouges sont trop petits pour être visibles à l'œil nu. Il faut les regarder au microscope. Là, tu verras que les globules rouges sont ronds et plats, écrasés au milieu, épais sur les bords. Le sang circule en permanence à l'intérieur de ton corps. C'est ton cœur qui le pompe et le fait se déplacer. Il passe à travers des petits, parfois très petits tuyaux : tes vaisseaux sanguins. Il va du bout de tes doigts jusqu'à ta tête et redescend dans tes orteils.

Les globules rouges véhiculent de l'oxygène. L'oxygène est contenu dans l'air que l'on respire. On ne le voit pas, mais on ne peut pas vivre sans lui. Ton corps a besoin de recevoir de l'oxygène en permanence. En respirant, tu en fais entrer dans tes poumons. Les globules rouges que tu as dans le sang prennent l'oxygène qui se trouve dans tes poumons et le transmettent à toutes les parties de ton corps.

Les globules rouges transmettent l'oxygène à tes muscles. À tes os. À ton cerveau. À ton estomac et tes intestins. À ton cœur.

Ton corps a autant besoin de nourriture que d'oxygène. Quand tu manges, les aliments descendent dans

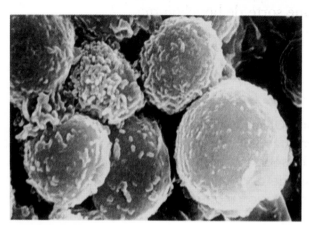

Globules blancs.

ton estomac et dans tes intestins. Là, ces aliments se transforment en liquide. Ce liquide va de tes intestins à ton sang. On ne voit plus la nourriture, même au microscope. Pourtant, elle est dans ton sang.

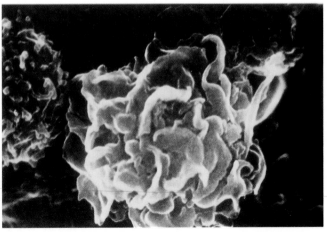

Cellules sanguines.

Ton sang apporte la nourriture et l'oxygène à chacune des parties de ton corps. Il envoie ce qui nourrit ton corps dans tes os pour les faire grandir, dans tes muscles pour les fortifier, dans tes doigts et tes orteils… et jusque dans ton cerveau.

Dans ton sang, il y a aussi des globules blancs. Ils sont plus gros que les globules rouges. Ton sang contient moins de globules blancs que de globules rouges. Mais il y a des milliers de globules blancs dans une seule goutte de sang.

Les globules blancs te protègent contre les microbes qui peuvent te rendre malade. Un globule blanc enveloppe le microbe et l'avale. Ainsi, le microbe ne peut plus te faire de mal.

Certains éléments, dans ton sang, sont plus petits que les globules blancs, et encore plus petits que les globules rouges. Ils sont incolores. Ils sont plats et arrondis, comme de petites plaques. On les appelle les plaquettes.

Quand tu te coupes, le sang coule. Les plaquettes s'amassent autour de la coupure. Elles forment une sorte de bouchon qui aide à faire cesser le saignement.

▼ Pourquoi le sang est-il rouge ?
▼ Comment le sang circule-t-il dans le corps ? Quel est son parcours ?
▼ Quels sont les éléments du sang cités dans le texte ?
À quoi sert chacun de ces éléments ?
▼ Avec quel appareil peut-on observer le sang ?

On devient aussi intelligent en dormant

Albert Jacquard et Marie-José Auderset, *C'est quoi l'intelligence ?*, Seuil, 1989.

Albert Jacquard est un grand scientifique. Il parle ici avec une petite fille de ton âge, qui lui pose des questions.

C'est tous les soirs pareil : papa et maman veulent que j'aille me coucher tôt. Moi je n'en ai pas envie. D'abord je n'ai pas sommeil ; et puis je déteste devoir quitter les grandes personnes quand elles sont encore debout. Une fois sous les draps, ça ne s'arrange pas, car je n'aime pas me retrouver dans la nuit. Pire encore, il m'arrive de faire de mauvais rêves. Alors, souvent je me dis que, si je pouvais passer moins de temps sous les plumes, ce serait vraiment agréable.

On entend parfois des gens dire : « Dormir, c'est une perte de temps », « Quand on dort, on ne fait rien ». Ces réflexions sont fausses. Au contraire, les spécialistes disent : « Dormir, c'est se développer. » Ainsi, les substances qui nous font grandir ne sont fabriquées par notre organisme que durant le sommeil. Les heures de sommeil ne sont pas toutes semblables. À certains moments, le cerveau n'est pas du tout « endormi ». Il travaille au même rythme que lorsqu'on est éveillé. On appelle cela les phases de « sommeil paradoxal ». C'est au cours de ce sommeil paradoxal que l'on rêve et surtout qu'il se passe, semble-t-il, quelque chose d'extraordinaire dans notre cerveau : nous faisons défiler tout ce que nous avons vu, entendu, touché ou senti au cours de la journée, et nous les adaptons à notre personnalité.

une substance : un produit.

Et qu'est-ce que cela change ?

Le matin au réveil, on ne voit plus les choses de la même manière. Prenons un exemple : il t'est sans doute arrivé un soir de te coucher avec un très gros chagrin. Peut-être t'étais-tu battue avec ton frère. Peut-être avais-tu été grondée. Que sais-je encore ? Toujours est-il que tu as beaucoup pleuré dans ton lit avant de t'endormir. Mais as-tu remarqué comme tu étais différente le lendemain matin ? Tes yeux étaient sûrement gonflés de larmes. Ton chagrin était toujours bien réel, mais il n'était plus tout à fait le même. C'est que le sommeil paradoxal avait fait son travail. Un travail merveilleux qui permet de « digérer » les choses, de mieux les comprendre et de les adapter à ta personnalité. En fait, chaque nuit qui passe te permet de devenir un peu plus toi-même et de construire un peu plus ton intelligence.

Alors, il est bon de dormir le plus longtemps possible ?

Non, ce qui importe est de satisfaire son besoin personnel de sommeil, et ce besoin est très variable d'un enfant à l'autre.

Édouard Vuillard (1868-1940),
La Berceuse, 28 x 49 cm.

Et les animaux ? Est-ce qu'ils deviennent aussi plus intelligents pendant leur sommeil ?

Pour les animaux supérieurs comme les mammifères, il se passe exactement la même chose que pour l'homme. Le chien, le chat, la vache ou le lion ont également des périodes de sommeil paradoxal. Ils en profitent donc eux aussi pour progresser. Mais à leur manière. À la manière du cheval, par exemple, qui saura toujours mieux retrouver son chemin, qui réagira toujours plus calmement quand on montera sur son dos, mais qui restera de toute manière incapable de parler.

Eugène Boudin (1824-1898), *Bovin blanc couché*, aquarelle.

▼ Pourquoi les enfants n'ont-ils pas toujours très envie d'aller se coucher ?
2 ▼ À quoi sert le sommeil ?
3 ▼ Dort-on tout le temps de la même manière ? Explique ta réponse.
4 ▼ Qu'est-ce que le sommeil paradoxal ? À quoi sert-il ?
▼ Est-ce que le texte t'a convaincu qu'il faut dormir suffisamment ?
Explique ta réponse.

Déclaration des droits de l'enfant

Brigitte Hayoz Koller, Danielle Plisson, Nicole Zellweger, *Nos droits d'enfants*, Éditions Syros.

La Déclaration des droits de l'enfant date de 1959.
Elle est valable pour les enfants du monde entier.
C'est un texte difficile à lire : on l'a donc ici réécrit et simplifié.

1

Le droit à l'égalité sans distinction ou discrimination fondées sur la race, la religion, l'origine ou le sexe.

une distinction,
une discrimination :
l'action de traiter des personnes de façons différentes.

2

Le droit aux moyens permettant de se développer d'une façon saine et normale sur le plan physique, intellectuel, moral, spirituel et social.

spirituel :
qui concerne l'esprit.

3

Le droit à un nom et à une nationalité.

4

Le droit à une alimentation saine, à un logement et à des soins médicaux.

Diego Rivera (1886-1957),
fresque du ministère
de l'Éducation publique
de Mexico, détail.

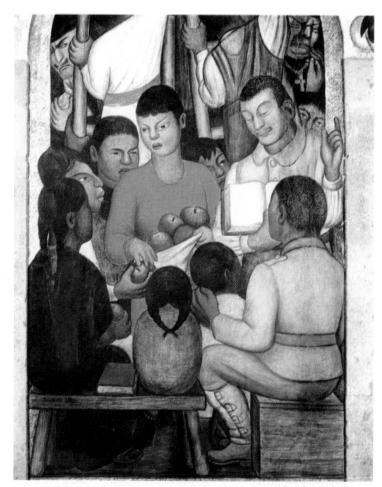

Diego Rivera, fresque du ministère de l'Éducation publique de Mexico,
détail.

5

l'invalidité : ....

*le fait d'avoir
une infirmité qui
empêche de mener
une vie active
normale.*

Le droit à des soins spéciaux en cas d'invalidité.

6

Le droit à l'amour, à la compréhension et à la protection.

7

Le droit à une éducation gratuite, à des activités récréatives et
à des loisirs.

8

Le droit au secours immédiat en cas de catastrophes.

9

Le droit à la protection contre toute forme de négligence, de cruauté et d'exploitation.

10

Le droit à la protection contre toute discrimination et le droit à une éducation dans un esprit d'amitié entre les peuples, de paix et de fraternité.

Diego Rivera, fresque du ministère de l'Éducation publique de Mexico, détail.

▼ Pourquoi le texte a-t-il été écrit ?
▼ Explique ces différents droits avec tes mots.
▼ Quels sont les articles qui se ressemblent ? Explique ta réponse.
▼ Penses-tu que ces droits sont respectés partout dans le monde ? Et en France ? Justifie ta réponse.

L'ampoule électrique

Dominique Joly, *L'Ampoule électrique*, Casterman, 1992.

L'homme aux mille inventions

Dès l'âge de douze ans, il ne cesse d'imaginer des appareils de toutes sortes : machines à voter, téléimprimeur de bourse, phonographe, premier cinématographe… et, bien plus tard, la lampe électrique à incandescence. Tel est Thomas Edison, savant facétieux et distrait, pour qui le génie, c'était « 1 % d'inspiration et 99 % de transpiration ! »

facétieux :
drôle, prêt à plaisanter.

Swan ou Edison ?

Depuis le début du XIXe siècle, les physiciens savaient que le courant électrique pouvait émettre de la lumière en chauffant un fil ou une lamelle portés à l'incandescence. Mais plusieurs obstacles retardaient la mise au point de l'invention.

Comment obtenir le vide à l'intérieur de l'ampoule pour empêcher l'oxygène contenu dans l'air de consumer le filament ? Quel était le meilleur filament capable de résister à une température élevée sans brûler ?

En décembre 1878, l'Anglais Joseph Swan fit une démonstration publique de sa lampe, vidée d'air grâce à la pompe inventée par l'Allemand Sprengel. Succès mitigé : l'ampoule de verre se noircissait. Edison vit là une occasion de relever le défi. Il commença par obtenir le vide presque parfait dans son globe de verre et expérimenta toutes sortes de filaments : papier, platine, poil de barbe… Il finit par essayer le fil de coton trouvé dans la boîte à ouvrage de sa femme : la lampe resta allumée plus de 45 heures… Le 21 octobre 1879, Edison inventait la lampe dite « à incandescence ».

portés à incandescence :
chauffés jusqu'à ce qu'ils deviennent lumineux.

consumer :
faire brûler.

mitigé :
moyen.

relever le défi :
essayer de faire mieux.

Raoul Dufy (1877-1953), *La Fée électricité*, détail.

▼ À quelle époque a-t-on inventé la lampe à incandescence ?
▼ Qui a participé à cette invention ?
▼ Comment fonctionne la lampe à incandescence ?
▼ Quels étaient les deux principaux problèmes à résoudre ?

Marie Curie

Florence Montreynaud, *Le XXe siècle des Femmes*, Nathan, 1992.

Marie Sklodowska (1867-1934) est venue de Pologne pour faire des études en France. Avec Pierre Curie, elle commence des recherches pour isoler le radium. Le radium est un élément radioactif encore inconnu…

Belle, des yeux gris, des cheveux blonds, bien qu'un peu austère d'allure dans ses robes sombres, elle rencontre Pierre Curie, un chercheur de huit ans son aîné. Ils se marient en 1895, sans cérémonie religieuse ni alliance, avant de partir en voyage de noces à bicyclette. Une fille, Irène, naît l'année suivante, une autre, Ève, en 1904. Marie Curie n'en poursuit pas moins son but scientifique, en parfaite harmonie avec son mari. Celui-ci, intéressé par ses découvertes, abandonne ses propres recherches pour collaborer aux siennes. Le travail est très dur : pour extraire un gramme de radium, elle manipule des tonnes de minerai et travaille dans des conditions matérielles déplorables. La France

Marie Curie en 1903.

n'est pas encore prête à accorder aux sciences le statut et les crédits nécessaires. Bientôt, la santé des chercheurs est atteinte, mais ils ignorent que le mal vient de ce radium qu'ils ont découvert.

Enfin, ils identifient l'atome de radium dont Marie Curie calcule le poids.

Quelques jours après la remise du prix Nobel à Stockholm, où, assise dans l'assistance – on n'avait pas pensé à lui installer une chaise sur l'estrade –, elle écoutait son mari présenter leur découverte commune, Marie Curie soutient sa thèse de doctorat de physique à la Sorbonne. Mention « très honorable » (la plus élevée) et félicitations du jury ! Dès lors, c'est l'engouement du public qui ne fera que croître jusqu'au second prix Nobel.

le statut :
la situation fixée par des lois.

les crédits :
l'argent.

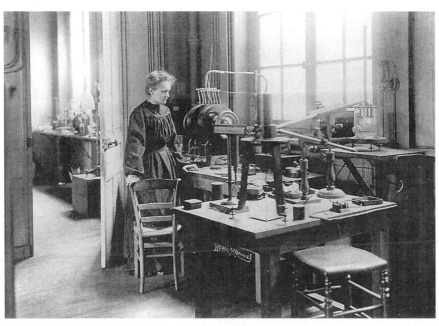

Marie Curie dans son premier laboratoire, vers 1902.

▼ Qui est Marie Curie ?
▼ Qu'apprend-on ici de son caractère et de sa personnalité ?
▼ Quelles difficultés Marie et Pierre Curie ont-ils rencontrées ?
▼ Que penses-tu de ce qui s'est passé à la remise du premier prix Nobel ?

Monet, Rue Montorgueil

Vanina Costa, *Musée d'Orsay, tableaux choisis*, Scala, 1990.

Monet déclara un jour qu'il aurait souhaité naître aveugle et soudain retrouver la vue : il aurait alors pu peindre ce qui était devant lui sans rien en savoir : garder la sensation la plus pure possible !

pavoisé :
décoré.

Une claire journée d'été, une rue pavoisée de drapeaux et la foule d'un quartier populaire en fête : nous voici *Rue Montorgueil*, c'est gai, bruyant, on vit en République depuis sept ans. Devant ce tableau, Monet nous fait retrouver toutes ces sensations confuses.

Bleu, blanc, rouge

Rien, pourtant, n'est réellement « décrit » : les touches de couleur sont trop grosses pour offrir une image minutieusement détaillée. Quels repères pouvons-nous trouver ? Les couleurs, c'est vrai : bleu-blanc-rouge, c'est le drapeau français. Quoi d'autre ? Cette zone bleue, en haut de la toile, pourrait bien être le ciel. Et puis il y a aussi la composition : les côtés du tableau sont comme deux triangles qui se rejoignent au centre, ce qui nous donne une sensation de profondeur.

Est-ce suffisant ? Certainement : une photographie serait évidemment plus précise – mais la peinture n'a pas à être un document, comme la photographie ; Monet estime que le tableau est la trace d'une impression de l'artiste, impression que peut retrouver le spectateur. Ils sont tout un groupe d'amis à penser ainsi ; souvent repoussés par le jury du Salon, ils s'étaient décidés à exposer ensemble dans la boutique du célèbre photographe Nadar : on était en 1874, et c'était la première exposition Impressionniste.

Claude Monet
(1840-1926),
*La Rue Montorgueil, à
Paris. Fête du 30 juin 1878*,
81 x 50,5 cm.

▼ Que représente le tableau ? Quelles impressions ressent-on en le regardant ?
Pourquoi ? Comment les personnages et les objets sont-ils représentés ?
▼ En lisant le texte, qu'as-tu appris
sur les couleurs du tableau et sur sa composition ?
▼ Quelle différence y a-t-il entre un tableau et une photographie ?
▼ Que voulait faire Monet ?
▼ À partir de quel mot a été créé le mot *impressionnisme* ? Pourquoi ?

Les romans

Un ordinateur pas ordinaire

Michèle Kahn, *Un ordinateur pas ordinaire*, Éditions Pocket Jeunesse, 1995.

Frank est venu passer quelques jours chez son oncle Pierre et son grand-père Babbi. Pierre est passionné d'informatique et c'est un ordinateur, Tetaclac, qui fait tout marcher dans la maison : la porte, les volets, la cafetière... Mais à cause de son accent alsacien, Babbi a du mal à faire obéir Tetaclac qui se commande à la voix. Claire est une amie qui essaie de l'aider.

— Fromage ! a lancé vivement Claire pour lui rendre service puis, rien ne se produisant, elle a repris : Tetaclac, fromage !

— *GRUYÈRE ET CAMEMBERT*, a répondu l'ordinateur, comme si on lui avait demandé l'inventaire des provisions de fromage.

— Tetaclac, ouvre la porte ! a commandé Pierre.

— *O.K. ENREGISTRÉ*, a grincé l'ordinateur.

Pan ! tous les volets se sont fermés d'un seul coup, plongeant la maison dans l'obscurité.

— Tetaclac, lumière ! a ordonné Pierre en s'épongeant le front avec son foulard.

— *AGENT PHYSIQUE CAPABLE D'IMPRESSIONNER L'ŒIL, DE RENDRE LES CHOSES VISIBLES, CE PAR QUOI LES CHOSES SONT ÉCLAIRÉES. CLARTÉ. ÉCLAIRAGE.*

Avec les volets fermés, il faisait encore plus chaud, horriblement chaud, dans la pièce. Sur l'écran, on a soudain vu apparaître des ondes rouges, bleues, vertes, violettes, des points de couleur fulgurants qui enflaient jusqu'à éclater. Et de chaque vague colorée surgissait un point qui était l'œil d'une nouvelle tempête.

un inventaire :
une liste complète.

fulgurant :
rapide comme un éclair.

Pierre, Babbi, Claire et Frank étaient pétrifiés.

La première à reprendre ses esprits a été Claire :

– Il est détraqué !

– Tetaclac ! a dit alors Pierre de cette voix précautionneuse avec laquelle on s'adresse aux grands malades. Tu es programmé pour te dépanner toi-même. Qu'attends-tu ?

– *LA LUMIÈRE*, a sournoisement répondu la machine.

– Je n'y comprends rien ! s'est exclamé Pierre en tapant du poing sur le bureau. Puis s'adressant à Claire : Ce qu'a fait Tetaclac aujourd'hui est…

– *O.K. ENREGISTRÉ. COMBIEN DE TASSES ?*

– Tasses de quoi ?

– *N'AVEZ-VOUS PAS COMMANDÉ DU CAFÉ ? J'AI ENTENDU : CAFÉ, TETA-CLAC.*

Et sans attendre la réponse, il a mis le moulin en route, le robot en marche, et il a ouvert les volets.

pétrifié :
comme changé
en pierre.

précautionneux :
prudent.

sournoisement :
pas franchement.

Takis,
Télélumière 1, 1961.

Claire s'est approchée de la fenêtre entrebâillée pour l'ouvrir tout grand. Le volet du bureau s'est refermé devant son nez. Elle a reculé. Le volet s'est ouvert. Elle est revenue vers la fenêtre. Il a claqué.

– J'ai compris ! s'est écrié Pierre. Il te prend pour un espion ! Il est en train d'appliquer son programme pour empêcher toute tentative d'espionnage… Écoute-moi, Tetaclac, cette jeune fille n'est pas un espion, c'est Claire !

– *NON, CE N'EST PAS CLAIR.*

– Elle s'appelle Clair-e, s'est énervé Pierre. J'épelle : C comm…

– *C'EST COMME ÇA.*

– C comme Catherine, a repris patiemment Pierre. L comme…

– *AILE DE POULET.*

– Il est devenu complètement fou ! a résumé Babbi.

Comme pour lui donner raison, Tetaclac a fait démarrer la tondeuse. Là-dessus, sonnerie du téléphone : un voisin a demandé gentiment si Pierre ne pouvait pas tondre son gazon le lendemain, car la tondeuse empêchait de dormir sa petite fille qui avait une forte fièvre.

– Il faut le débrancher, ont dit Pierre et Claire d'une seule voix. Ayant oublié qu'il suffisait d'appuyer sur une touche, Frank s'est précipité sur la fiche électrique enfoncée dans le mur, l'a tirée et une gigantesque étincelle a jailli, éclairant quatre visages affolés.

Pierre n'a pas réussi à rallumer la lumière. L'électricité était coupée.

....

▼ Où se trouvent les personnages et que leur arrive-t-il ?
▼ Repère tout ce qui se passe d'anormal.
▼ Retrouve les jeux de mots de Tetaclac.
▼ À ton avis, est-ce qu'une maison comme celle de Pierre peut exister ? Aimerais-tu y habiter ? Explique ta réponse.

....

Oukélé la télé?

Susie Morgenstern, *Oukélé la télé?*, « Folio Cadet », Gallimard, 1984.

Les parents de Stéphane n'aiment pas beaucoup la télévision.

Au début, ils la rangeaient dans les diverses armoires de l'appartement. Ils avaient acheté la télévision la plus mesquine, minable et rikiki possible : noir et blanc (de nos jours !), portative (ça se comprend !), sans télécommande.

Qu'importe, c'était tout de même la lune de miel, Stéphane était aux anges. Il regardait tout. Il avait toute une vie de télé-culture à rattraper. Stéphane rentrait de l'école, ouvrait tous les placards jusqu'à ce qu'il découvre enfin la cachette de Mme Télé, s'installait avec elle un bon moment, puis la rangeait avant l'arrivée supposée d'un des parents. Quel régal ! Il ne la rendait jamais à l'armoire d'où il l'avait sortie. Ainsi ses parents étaient obligés de faire les mêmes recherches que lui, et une bonne partie de la vie des membres de la famille était consacrée à chercher la télé.

mesquin :
petit, pas cher.

c'est la lune de miel :
tout le monde est content.

Quasimodo, film de William Dieterle, 1939,
avec Maureen O'Hara (Esmeralda) et Charles Laughton (Quasimodo).

Quasimodo, film de William Dieterle, 1939.

Il ne perdait pas de vue sa montre, afin de ne pas rater l'arrivée d'un des gardiens de sa « santé mentale ». Un jour, il s'était abandonné à un film américain, hélas, en version française, de William Dieterle : *Quasimodo*, d'après *Notre-Dame de Paris* de Victor Hugo, et il avait oublié l'heure. Sa mère était effondrée qu'on ait pu désobéir à ses consignes : télé deux fois par semaine, et pas les veilles de classe.

– On ne peut plus avoir confiance en ses propres enfants, pleura-t-elle, après tout ce que l'on a fait pour eux.

Stéphane la supplia de le laisser finir de voir son film, mais elle était livide et implacable.

La télé fut donc enfermée à double tour dans l'armoire Louis XVI dont la clef ne quitta plus jamais la mère de Stéphane. Mais le cerveau de ce dernier ne chômait pas. Un jour béni d'absence de ses parents, poussé à la révolte, il prit les outils nécessaires et démonta les portes en merisier de la

livide :
très pâle.

implacable :
décidé
à ne pas céder.

ne pas chômer :
ne pas arrêter
de fonctionner.

vénérable armoire. Il jouit alors d'une journée de télévision sans pareille avant d'être pris en flagrant délit.

Jamais à court d'idées, le père de Stéphane enferma la télé dans le grand placard blindé de l'entrée. Ce faisant, il coinça la clef minuscule dans la serrure et, en forçant, la clef se cassa en deux. Il jura et grogna tout ce qu'il savait :

– C'est à cause de ces enfants qui ne veulent pas laisser cette maudite télé dans le placard, à sa place.

Cela arriva par une journée hivernale d'un Paris polaire, et par malheur, c'était justement le placard à manteaux de toute la famille. Stéphane jubilait : son père dut téléphoner au serrurier et débourser 150 francs pour le service d'urgence, tandis que sa maman écrivait un mot d'excuse au directeur de l'école justifiant le retard de ses enfants (pour une raison inexplicable, le réveil n'a pas sonné, nous allons changer les piles).

C'est à cette époque que l'on inaugura le système de la télé à la cave.

vénérable : ancien, précieux.

jubiler : être très content.

inaugurer : commencer.

▼ Pourquoi les parents de Stéphane sont-ils contre la télévision ?
▼ Stéphane veut regarder la télévision par tous les moyens.
Comment s'y prend-il ? Qu'en penses-tu ?
▼ Explique le titre du texte.
▼ Repère quelques passages particulièrement humoristiques.
▼ Les choses peuvent-elles se passer ainsi dans la réalité ?
Explique ta réponse.

King

Sempé/Goscinny, *Les Récrés du petit Nicolas*, Denoël, 1961.

Avec quelques copains, Nicolas a réussi à pêcher un têtard.

Quand je suis entré dans la maison, Maman m'a regardé et elle s'est mise à pousser des cris : « Mais regarde-moi dans quel état tu t'es mis ! Tu as de la boue partout, tu es trempé comme une soupe ! Qu'est-ce que tu as encore fabriqué ? »

C'est vrai que je n'étais pas très propre, surtout que j'avais oublié de rouler les manches de ma chemise quand j'avais mis mes bras dans l'étang.

– Et ce bocal ? a demandé Maman, qu'est-ce qu'il y a dans ce bocal ?

– C'est King, j'ai dit à Maman en lui montrant mon têtard. Il va devenir grenouille, il viendra quand je le sifflerai, il nous dira le temps qu'il fait et il va gagner des courses !

Maman, elle a fait une tête avec le nez tout chiffonné.

– Quelle horreur ! elle a crié, Maman. Combien de fois faut-il que je te dise de ne pas apporter des saletés dans la maison ?

– C'est pas des saletés, j'ai dit, c'est propre comme tout, c'est tout le temps dans l'eau et je vais lui apprendre à faire des tours !

– Eh bien, voilà ton père, a dit Maman ; nous allons voir ce qu'il en dit !

Et quand Papa a vu le bocal, il a dit : « Tiens ! c'est un têtard », et il est allé s'asseoir dans le fauteuil pour lire son journal. Maman, elle, était toute fâchée.

– C'est tout ce que tu trouves à dire ? elle a demandé à

Papa. Je ne veux pas que cet enfant ramène toutes sortes de sales bêtes à la maison !

– Bah ! a dit Papa, un têtard, ce n'est pas bien gênant…

– Eh bien, parfait, a dit Maman, parfait ! Puisque je ne compte pas, je ne dis plus rien. Mais je vous préviens, c'est le têtard ou moi !

Et Maman est partie dans la cuisine.

Papa a fait un gros soupir et il a plié son journal.

– Je crois que nous n'avons pas le choix, Nicolas, il m'a dit. Il va falloir se débarrasser de cette bestiole.

Moi, je me suis mis à pleurer, j'ai dit que je ne voulais pas qu'on fasse du mal à King et qu'on était drôlement copains tous les deux. Papa m'a pris dans ses bras :

– Écoute, bonhomme, il m'a dit. Tu sais que ce petit têtard a une maman grenouille. Et la maman grenouille doit avoir beaucoup de peine d'avoir perdu son enfant. Maman, elle ne serait pas contente si on t'emmenait dans un bocal. Pour les grenouilles, c'est la même chose. Alors, tu sais ce qu'on va faire ? Nous allons partir tous les deux et nous allons remettre le têtard où tu l'as pris, et puis tous les dimanches tu pourras aller le voir. Et en revenant à la maison, je t'achèterai une tablette en chocolat.

Moi, j'ai réfléchi un coup et j'ai dit que bon, d'accord.

Alors, Papa est allé dans la cuisine et il a dit à Maman, en rigolant, que nous avions décidé de la garder et de nous débarrasser du têtard.

Maman a rigolé aussi, elle m'a embrassé et elle a dit que pour ce soir, elle ferait du gâteau. J'étais très consolé.

Quand nous sommes arrivés dans le jardin, j'ai conduit Papa, qui tenait le bocal, vers le bord de l'étang. « C'est là » j'ai dit. Alors j'ai dit au revoir à King et Papa a versé dans l'étang tout ce qu'il y avait dans le bocal.

Et puis nous nous sommes retournés pour partir et nous avons vu le gardien du square qui sortait de derrière un arbre avec des yeux ronds.

– Je ne sais pas si vous êtes tous fous ou si c'est moi qui le deviens, a dit le gardien, mais vous êtes le septième bonhomme, y compris un agent de police, qui vient aujourd'hui jeter le contenu d'un bocal d'eau à cet endroit précis de l'étang.

....

▼ Quel est le problème de Nicolas, au début ?
▼ Comment s'y prend-il pour essayer de convaincre sa mère ?
▼ Comment le père réagit-il ?
Comment fait-il pour décider son fils à remettre King dans l'étang ?
▼ Les personnages du texte ont beaucoup d'humour.
Repère dans le texte tout ce qui le montre.

....

Le problème de Virgile

Marie-Sabine Roger, *Le Vampire de l'Abribus*,
« Myriades, Maximômes », Épigones, 1995.

Virgile est racketté par deux garçons, Sébastien Grumot et Hubert Patelin.

Ce matin-là, Virgile s'était assis sans enthousiasme devant son bol. Regardant ses tartines d'un air maussade, il avait murmuré :

– Maman, j'ai envie de vomir… je crois que je suis malade.

Sa mère l'avait regardé sans trop d'inquiétude. Puis, après avoir posé une main légère sur son front, elle avait dit d'un air enjoué :

– Allons, ça n'a pas l'air bien grave ! Je ne crois pas que tu aies de fièvre. Enfin, prends quand même ta température, on ne sait jamais ! Virgile s'était traîné jusqu'à la salle de bains, dans un morose chuintement de pantoufles. Puis il avait annoncé d'une voix sépulcrale :

> **maussade :**
> triste, sans entrain, grognon.

> **morose :**
> triste, sans entrain.

> **sépulcral :**
> très grave.

Fernand Léger (1881-1955), *La Mère et l'enfant à la nature morte*, crayon.

Amedeo Modigliani (1884-1920), *Le Jeune Apprenti*, 100 x 65 cm.

– J'ai 37° 3…

sobrement :
avec simplicité.

– Alors, je pense qu'il reste de l'espoir, avait sobrement répondu sa mère, depuis la cuisine.

Mais elle avait tout de même commencé l'interrogatoire classique :

– Tu as mal à la tête ?

– Non.

– Tu as des frissons ?

– Non.

– Tu as une interro de maths ?

– Non.

– Où est-ce que tu as mal ?

Virgile avait désigné d'un geste circulaire une zone comprenant l'estomac, le ventre, un des coussins du canapé et l'oreille du chien.

– Je ne vois guère que l'ablation du ventre… avait ironisé sa mère.

Virgile s'était renfrogné.

– Bon, tu veux rester à la maison aujourd'hui pour te reposer ? lui avait-elle demandé gentiment, histoire de se rattraper.

Virgile avait vaguement hoché la tête. De toute façon plus rien n'avait vraiment d'importance. Il valait mieux le laisser mourir seul…

– Tu es si mal que ça ? avait fini par demander sa mère, troublée. Non, il ne l'était pas « si-que-ça », mais assez pour préférer rester au lit, et tenter de dormir, avait-il soupiré en se traînant vers sa chambre.

Maintenant qu'il était dans son lit, Virgile n'avait plus du tout sommeil. Calé entre ses coussins, il réfléchissait de toutes ses forces au moyen de résoudre son problème. Car il avait un problème. Et même un sacré problème : plus un centime dans sa tirelire ! Or, il lui fallait 330 francs pour demain. Sinon…

La simple idée de retourner au collège lui donnait des frissons. Un filet d'eau glacée lui coulait entre les omoplates…

Ce n'était pas le fait d'aller à l'école. Ni même de voir les profs. Non. C'était la perspective affreuse, atroce, épouvantable de devoir se retrouver en face de Sébastien Grumot, sans avoir l'argent. Le genre d'idée qui vous fait l'estomac tout petit, tout rétréci, et la salive aussi difficile à avaler qu'un paquet de coton…

Virgile avait beau se creuser la tête, il ne voyait pas, mais alors pas du tout comment il allait bien pouvoir faire, cette fois-ci. Il

une ablation :
le fait d'enlever par chirurgie.

ironiser :
plaisanter, se moquer.

avait déjà dépensé, petit à petit, tous les sous qu'il avait eus pour son anniversaire.

Ses économies n'étaient plus qu'un lointain souvenir. Il avait raconté à sa mère qu'il avait perdu sa carte de cantine, et qu'il fallait quinze francs pour la faire refaire. Il avait fait le coup des dix francs pour la coopérative, des cinq francs empruntés à son copain David, pour acheter des vignettes…

Mais maintenant, il ne savait plus quoi inventer. Tricher et mentir sans arrêt, cela demandait trop d'imagination, et trop de mémoire ! Et Virgile n'était pas un menteur. Enfin, pas un vrai menteur. Le jour où il avait affirmé avoir égaré sa carte de car, il s'était senti rougir jusqu'aux orteils. Il était même tellement mal que sa mère avait fini par s'en étonner :

– Enfin, Virgile, ne te mets pas dans cet état ! Ça peut arriver à tout le monde d'égarer quelque chose ! Tiens, les voilà, tes quinze francs !

Virgile était parti prendre le car avec une vague envie de pleurer, et l'impression d'avoir le nez de Pinocchio au beau milieu de la figure. Et, à l'arrêt des cars, comme chaque jour d'école depuis des semaines, l'infâme Sébastien Grumot l'attendait, avec son sourire d'hyène. Il était accompagné, comme toujours, de son poisson-pilote, le ridicule et minuscule Hubert Patelin.

– Tiens, voilà ma tirelire ! avait ricané Grumot en tendant la main. Virgile avait donné les sous de sa mère, en serrant les poings. Oh, il n'était pas trouillard, ça non. Mais Grumot avait trois ans de plus que lui. Il était gigantesque. Virgile était courageux, mais pas fou.

infâme :
....
horrible.

une hyène :
....
un animal sauvage qui vit dans le désert.

un poisson-pilote :
....
une personne qui en accompagne toujours une autre.

▼ Virgile est-il vraiment malade ? Explique ta réponse.
▼ Retrouve le titre du roman. Explique-le.
▼ Pourquoi Virgile est-il angoissé et désespéré ?
▼ À ton avis, peut-il résoudre seul son problème ?
Penses-tu que sa mère va l'aider ?

Matilda

Roald Dahl, *Matilda*, traduction de Henri Robillot,
« Folio Junior », Gallimard Jeunesse, 1988.

*Matilda a des rapports difficiles avec ses parents. Un jour, elle décide de
leur jouer un bon tour.*

Félix Vallotton (1865-1925), *Le Dîner*, 57 x 89,5 cm.

Ce soir-là, tandis que la mère, le père, le frère et Matilda
dînaient comme d'habitude au salon devant la télévision, une
voix forte et claire retentit dans le vestibule, venant de la salle
à manger.
– Salut, salut, salut !
– Henri ! s'écria la mère devenant toute blanche. Il y a quel-
qu'un dans la maison ! J'ai entendu une voix !
– Moi aussi ! dit le frère.
Matilda se leva d'un bond et alla éteindre la télé.
– Cchhhut ! fit-elle. Écoutez !
Ils cessèrent tous de manger et, sur le qui-vive, tendirent
l'oreille.

sur le qui-vive :
*en faisant
très attention,
en restant
sur ses gardes.*

– Salut, salut, salut ! reprit la voix.

– Ça recommence ! cria le frère.

– Des voleurs ! fit la mère d'une voix étranglée. Ils sont dans la salle à manger !

– Oui, je crois, dit le père, assis très raide sur sa chaise.

– Eh ben, va les attraper, Henri, reprit la mère. Vas-y donc, tu les prendras sur le fait !

Le père ne bougea pas. Il ne semblait nullement pressé d'aller jouer les héros. Son visage vira au grisâtre.

– Alors, tu te décides ! insista la mère. Ils doivent être en train de faucher l'argenterie !

M. Verdebois s'essuya nerveusement les lèvres avec sa serviette.

– Si on allait tous voir ensemble ? proposa-t-il enfin.

– C'est ça, allons-y ! dit le frère. Tu viens, m'man ?

– Pas de doute, ils sont dans la salle à manger, chuchota Matilda. J'en suis certaine.

La mère s'empara d'un tisonnier dans le foyer de la cheminée. Le père s'arma d'un club de golf posé dans un coin. Le frère saisit, sur une table, une lampe qu'il prit soin de débrancher. Matilda prit le couteau avec lequel elle mangeait, et tous quatre se dirigèrent sur la pointe des pieds vers la porte de la salle à manger, le père se tenant à distance respectueuse du reste de la famille.

– Salut, salut, salut ! lança à nouveau la voix.

– Allez ! s'écria Matilda, et elle fit irruption dans la pièce, son couteau brandi à bout de bras.

un tisonnier :

un instrument en fer qui sert à remuer le feu.

un club de golf :

une canne en fer qui sert à jouer au golf.

– Haut les mains ! enchaîna-t-elle, vous êtes pris !

Les autres la suivirent, agitant leurs armes diverses. Puis ils s'arrêtèrent, regardèrent autour d'eux. Personne.

– Il n'y a pas de voleur ici, déclara le père avec un vif soulagement.

– Je l'ai entendu, Henri ! glapit

Félix Vallotton,
La Chambre rouge,
79,5 x 58,5 cm

la mère d'une voix toujours aussi chevrotante. J'ai bien entendu sa voix. Et toi aussi !

– Je suis sûre de l'avoir entendu ! appuya Matilda. Il est ici quelque part.

Elle se mit à chercher derrière le canapé, derrière les rideaux. C'est alors que la voix s'éleva de nouveau, voilée et rauque cette fois :

– Numérotez vos abattis ! dit-elle. Numérotez vos abattis !

Ils sursautèrent tous, y compris Matilda qui jouait fort bien la comédie. Ils inspectèrent toute la pièce. Il n'y avait toujours personne.

– C'est un fantôme, dit Matilda.

– Ah, mon Dieu ! s'exclama la mère en se jetant au cou de son mari.

– Je sais que c'est un fantôme, insista Matilda. Je l'ai déjà entendu ici. La salle à manger est hantée ! Je croyais que vous le saviez.

– Au secours ! hurla la mère, étranglant à demi son époux.

– Moi, je sors d'ici, bafouilla le père, plus gris que jamais.

Tous prirent la poudre d'escampette en claquant la porte derrière eux.

Le lendemain après-midi, Matilda s'arrangea pour extirper de la cheminée un perroquet plutôt grincheux et saupoudré de suie et pour le sortir de la maison sans être vue. Elle le fit passer par la porte de derrière et trotta avec la cage jusque chez Fred.

– Alors, il s'est bien conduit ? lui demanda Fred.

– On s'est beaucoup amusés avec lui, assura Matilda. Mes parents l'ont adoré.

prendre la poudre d'escampette :
se sauver, s'enfuir.

extirper :
sortir, enlever.

la suie :
la poudre noire que l'on trouve dans les cheminées.

▼ Explique le mauvais tour que Matilda a joué à ses parents.
▼ Invente un titre pour ce passage.
▼ Que peut-on dire des parents de Matilda ?
▼ Les choses pourraient-elles se passer ainsi dans la réalité ?
Explique ta réponse.

Cabot-Caboche

Daniel Pennac, *Cabot-Caboche*, Nathan, 1982.

Pomme est une petite fille qui a adopté un chien, simplement appelé Le Chien.

Pierre Bonnard (1867-1947),
Scène familiale : Renée de dos embrassant un chien.

la fourrière : ....

l'endroit où l'on garde les animaux perdus ou abandonnés.

C'est à Paris que tout se gâta entre Pomme et Le Chien. Jusque-là, Pomme avait été parfaite. Elle s'était montrée si gentille avec lui que Le Chien l'avait crue apprivoisée. « Elle a déjà dû avoir un chien dans sa vie, se disait-il, et ce chien l'a vraiment bien dressée ! »

Non, Pomme n'avait jamais eu d'animal avant lui. Cela, il le comprit dès qu'il pénétra dans l'appartement parisien. Aucun chien n'avait jamais vécu là. Ni aucun chat, d'ailleurs, ni aucun oiseau. Ils y auraient laissé une odeur. Or l'appartement sentait l'homme, rien d'autre. Non. Le Chien s'en rendit compte très vite : en venant le chercher à la fourrière, Pomme avait fait un caprice. Maintenant qu'elle retrouvait sa maison, sa chambre, ses jouets, ses camarades, ses habitudes, elle se désintéressait complètement de lui.

Si l'appartement avait été une vraie maison, avec un jardin, ça n'aurait pas été si grave que ça. Le Chien serait resté dehors toute la journée. Il lui fallait peu de chose pour se distraire : quelques oiseaux, du vent dans les feuilles, deux ou trois bruits suspects pour pouvoir aboyer, une piste à renifler par-ci par-là, et il ne voyait pas le temps passer. Seulement voilà : les appartements parisiens n'ont pas d'extérieur. Tout le monde vit dedans. Et dedans, ce n'est pas drôle. D'abord, c'est petit. Et, pour un chien, c'est encore plus petit que pour un homme. À cause des endroits interdits. Pas le droit de monter sur le canapé ni sur les fauteuils, pas le droit de s'allonger sur la moquette du « livingue » (et la moquette du livingue, *c'est le* « *livingue* » *tout entier !*), pas le droit d'entrer dans la chambre du Grand Musc et de La Poivrée... Restent l'entrée (deux mètres carrés), la minuscule cuisine (quand La Poivrée n'y fait pas la tambouille), le couloir (où tout le monde vous marche dessus) et la chambre de Pomme (sauf la nuit). Mais, justement, Pomme ne voulait pas du Chien dans sa chambre...

– Fiche-moi le camp, laisse-moi jouer tranquille, occupe-toi de ton côté.

Le Chien se retrouvait dans le couloir. Il se couchait en soupirant devant la porte fermée de Pomme.

Mais, comme un fait exprès, La Poivrée sortait de sa chambre à ce moment-là, butait contre Le Chien et se mettait à crier de sa voix stridente :

– Oh ! ce chien ! Toujours dans mes jambes ! Tu ne peux pas te coucher ailleurs ?

Le Chien s'en allait, la tête basse, se cacher sous la table de la cuisine. Il y restait jusqu'à l'heure du déjeuner, où La Poivrée le chassait de nouveau :

– Pas de chien dans la cuisine pendant que je prépare les repas, c'est malsain ! (« Sain » et « malsain » étaient des mots qui revenaient sans arrêt dans le vocabulaire de La Poivrée ; et Le Chien était plutôt classé parmi les choses « malsaines ».) Il se levait donc, quittait la cuisine pour se réfugier dans l'entrée, où il s'enroulait en gémissant, au pied du portemanteau.

le livingue :
de l'anglais living,
le salon.

Le Grand Musc
et La Poivrée :
les parents
de Pomme tels que
le chien les sent.

David Hockney (né en 1937), *Fauteuils à la Mamounia, Marrakech,* 1971, dessin aux crayons de couleur.

Rosa Bonheur
(1822-1899),
*Étude de chien de
chasse : 8 esquisses,*
38 x 54 cm.

la patère :
. . . .
le portemanteau.

Mais la porte d'entrée s'ouvrait soudain : c'était Le Grand
Musc qui revenait du travail. Il accrochait son manteau à la
patère. Deux litres d'eau tombaient sur le dos du Chien. Des
restes de pluie. Surpris par cette averse, Le Chien bondissait
dans le salon, où il s'ébrouait comme un canard après un plon-
geon. Cela faisait un magnifique éventail de gouttelettes
brillantes qui provoquait une dispute générale :
– Mon « livingue » ! s'exclamait La Poivrée d'une voix horrifiée.
Elle était en train de mettre la table. Ses yeux lançaient des
éclairs. Elle pointait vers Le Grand Musc un doigt tremblant de
fureur :
– C'est encore toi qui as trempé ce chien avec ton imperméable
mouillé ! Combien de fois faudra-t-il que je te dise de te
secouer dehors quand il pleut ?
– Et combien de fois faudra-t-il répéter que ce chien n'a rien à
faire dans l'entrée ? Ce n'est pas la place d'un chien ! rétor-
quait Le Grand Musc de sa voix de bronze.
– Et qui est-ce qui a décidé de prendre ce chien ? C'est moi,
peut-être ? J'ai toujours été contre, tu le sais très bien !

une voix
de bronze :
. . . .
une voix grave.

– Parlons-en ! Si je t'avais écoutée, c'est un énorme berger lai-neux qui se vautrerait dans l'entrée. On ne pourrait même plus ouvrir la porte ! répondait Le Grand Musc en ricanant.

– Non monsieur ! Si *toi* tu m'avais écoutée, nous n'aurions pas de chien du tout ! C'est *toi* qui as cédé aux caprices de la petite, comme d'habitude !

– Dites donc, vous deux, si vous arrêtiez de vous disputer ? proposait alors une troisième voix. Vous m'empêchez de lire, et c'est un mauvais exemple pour mes poupées.

– Ah ! tu tombes bien, toi ! Tu ne pourrais pas t'occuper de TON chien, un petit peu, non ?

Le Grand Musc et La Poivrée, soudain réconciliés, se tenaient devant Pomme qui, un livre à la main, accoudée à la porte du salon, les regardait sans baisser les yeux. Le Chien, assis entre ces trois personnes, ne savait trop quelle attitude adopter. Le Grand Musc et La Poivrée le terrifiaient. Pomme le désolait. Et ce jour-là, elle lui fit peut-être plus de mal que jamais. Car, à la question des adultes (« et si tu t'occupais un peu de ton chien ? »), elle répondit une chose incroyable. Son regard se promena avec curiosité dans le salon, comme si elle cherchait quelque chose, puis dans la salle à manger ; elle fit mine de jeter aussi un coup d'œil dans l'entrée et dans la cuisine, et elle répondit enfin, simplement, en écarquillant les yeux :

– Quel chien ?

Et elle retourna dans sa chambre.

....

▼ L'auteur raconte l'histoire comme s'il était à la place du chien. Montre-le.

▼ Pourquoi le chien est-il si malheureux ?

▼ Que penses-tu de la dernière phrase de Pomme ?

▼ Quel est le problème évoqué dans ce texte ?

....

Le faucon déniché

Jean-Côme Noguès, *Le Faucon déniché*, ÉDITIONS G. P., 1972.

L'histoire se passe au Moyen Âge. À cette époque, seul un seigneur a le droit d'avoir des faucons, des oiseaux de proie que l'on dresse pour chasser. Martin, un jeune garçon, aurait donc dû rapporter au château celui qu'il a trouvé.

croulant :
sur le point de s'écrouler.

un sureau :
une espèce de plante, d'arbuste.

la nuit close :
la nuit tombée.

le fauconnier :
la personne qui s'occupe des faucons du seigneur.

un croquant :
un garçon pauvre.

Martin écarta les ronces, il escalada les pierres croulantes, et entra, et s'arrêta soudain.

Un homme se tenait immobile près du sureau. Le garçon, malgré la nuit maintenant close, ne put douter de son malheur.

Il venait de reconnaître le fauconnier du château.

« Je t'attendais. »

L'homme ne bougeait toujours pas, noir dans le clair de la lune, la cage renversée à ses pieds. On aurait dit une apparition effrayante.

« J'ai découvert ton audace, dit-il. Comme cela !… Par hasard. Un hasard que j'ai aidé, d'ailleurs, car rien n'échappe à ma vigilance. J'aime me promener dans la campagne. On y découvre des choses qu'un fauconnier doit savoir s'il veut rester à la hauteur de sa tâche. »

Il prenait son temps. Il tenait enfin le croquant indocile et il ne dédaignait pas de savourer cette situation dans laquelle il était le plus fort.

« Ne compte pas sur mon indulgence, je n'en aurai pas. Depuis quand les serfs dénichent-ils les faucons ? »

Martin, d'abord, demeura sans voix. Sa surprise avait été trop grande et sa frayeur aussi. Sur son poing levé, l'oiseau avait l'immobilité du bronze.

« Tu sais qu'ils appartiennent au seigneur, reprit le fauconnier, et tu sais aussi comment on punit ceux qui osent désobéir.

– Je ne l'ai pas déniché. Je voulais seulement le voir…

– Le voir !

– Oui, le voir. Il est tombé du nid. Je l'ai ramassé dans les herbes. Je ne pouvais pas le rapporter au nid, les parents étaient furieux.

– Ce n'était pas au nid qu'il fallait le rapporter, vaurien, c'était au château. »

L'enfant comprit qu'il n'arriverait pas à le convaincre.

« Je vous prie, maître fauconnier, laissez-le-moi. Je vous trouverai d'autres oiseaux, mais laissez-moi celui-ci !

– De quel droit aurais-tu ce privilège ? Tous les faucons sont nécessaires aux chasses du seigneur.

– Mais celui-ci ne sait pas chasser ! Il n'a jamais été dressé pour cela.

– Il le sera.

– Il le sera ?

– Oui.

– Jamais ! »

Une colère froide s'était emparée de Martin, une rage démesurée d'enfant privé de son bien. À quoi bon expliquer, se justifier, puisque la partie était perdue d'avance ?
Il serra l'oiseau contre sa poitrine et, de sa main nue, il arracha trois rémiges d'une aile.

« Il ne volera plus, cria-t-il aussi fort qu'il put. Il ne servira pas ! »

D'un mouvement de tout son corps, il ouvrit les bras. L'oiseau, lancé dans l'air, déploya ses ailes mais, désorienté par un déséquilibre inattendu, il alla se poser sur le sureau.

Maître du Jugement de Pâris du Bargello,
Jeune Chasseur au faucon, XVe siècle, diamètre : 57 cm.

« Tu… Tu as osé ! » gémit le fauconnier d'une voix rauque.

Il ne trouvait pas les mots pour dire son indignation. La colère l'étouffait. Tout s'était déroulé avec une telle rapidité qu'il n'avait pu intervenir à temps.

Martin s'enfuit. Il escalada l'amas de pierres qui obstruait le passage. S'il gagnait le sentier, il était sauvé.

obstruer :
boucher.

« Gardes ! »

Une ombre, jaillie des murailles, se précipita à la poursuite du fugitif. Le fauconnier avait tout prévu. Il avait placé un de ses hommes dans un coin, prêt à intervenir. Mais Martin était sûr de courir plus vite que tous les lourdauds du château. Cet appel décupla son énergie. Il ne savait pas où il se cacherait, ce qu'il ferait ensuite. Ce n'était pas le moment de penser à tout cela. Il savait seulement qu'il ne fallait pas se laisser rattraper. Il sauta sur le chemin. Encore quelques enjambées et il était sauvé.

décupler :
multiplier par dix.

Ambrogio Lorenzetti, *Effets du Bon Gouvernement à la campagne,*1337-1339, fresque, détails.

Une deuxième ombre, soudain, se dressa devant lui, si promptement qu'il vint s'y heurter. Deux bras l'enveloppèrent. Il se débattit comme un beau diable, distribuant des coups de pied, tirant de toutes ses forces pour se dégager.

« Lâchez-moi ! Lâchez-moi ! »

La lutte était trop inégale. Ses bras, repliés dans son dos par des poignes inébranlables, lui interdisaient tout mouvement. On le poussa dans la ruine et il fut de nouveau devant son ennemi.

une poigne :
une main.

inébranlable :
qu'on ne peut pas faire bouger.

▼ Pourquoi le fauconnier veut-il arrêter Martin ?
▼ Comment Martin explique-t-il ce qu'il a fait ?
▼ Que peut-on dire du fauconnier ?
Recherche des adjectifs pour qualifier ce personnage.
▼ Qu'est-ce que ce texte t'a appris sur la vie au Moyen Âge ?

Claudine de Lyon

Marie-Christine Helgerson, *Claudine de Lyon*, « Castor Poche », Flammarion, 1984.

L'histoire se passe à la fin du XIXᵉ siècle, chez les canuts. Les canuts étaient les artisans qui tissaient la soie, à Lyon.

Bistanclaque-pan ! Bistanclaque-pan ! Le jour n'est pas encore levé. Et pourtant, dans la rue, on entend déjà le bruit des métiers à tisser.

Claudine se passe de l'eau sur la figure, enfile sa blouse noire et saute sur sa banquette. Le gros rouleau sur lequel s'enroule le tissu presse son estomac. À onze ans, elle a déjà le dos voûté des canuts, car elle doit se pencher pour lancer la navette. L'un après l'autre, ses pieds poussent sur les pédales. Comme chaque matin, dès le petit jour, Claudine se met à tisser.
À côté d'elle, son père travaille sur un métier mécanique qui va beaucoup plus vite. Il est en train de tisser un velours en fil d'or, avec de grandes fleurs mauves et rouges. Absorbé par son travail, il ne parle ni à sa fille ni à sa femme qui se prépare à sortir.

Claudine, ce matin, est bien lasse.
Comme c'est monotone de tisser des mètres et des mètres de soie bleue unie, dix heures par jour !
Les métiers marchent tout le temps. Le soir, quand Mme Boichon rentre de l'usine, elle reprend le travail de sa fille, pendant deux ou trois heures, sous la lumière de la lampe à pétrole.
À côté de Claudine et de M. Boichon, il y a Toni, l'apprenti, un jeune homme de dix-huit ans. Il vit avec la famille et dort dans une soupente aménagée dans la cuisine. Lui aussi connaît

une navette :
une bobine allongée que l'on passe et repasse entre les fils.

une soupente :
une pièce toute petite, un réduit.

Canuts à Lyon en 1928, métier à bras.

Canuts à Lyon en 1928, métier à bras.

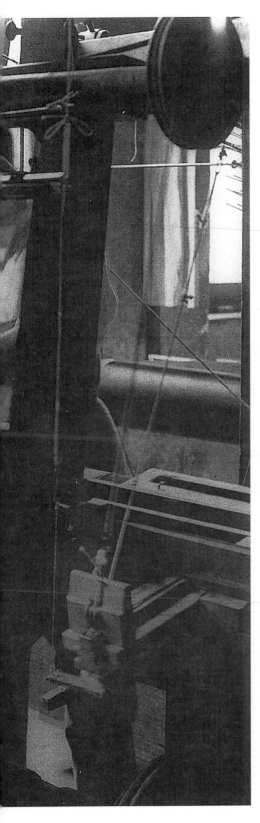

le rythme de la maison : travail, travail et travail. M. Boichon ne lui parle pas beaucoup, seulement pour lui donner des ordres ou des directives.

une directive :
une indication, une instruction.

– Claudine, tu feras réchauffer la farine jaune pour midi, dit Mme Boichon, s'il n'y en a pas assez, rajoute de l'eau. Envoie tes frères chercher du pain et des gratons. Et, pour ce soir, épluche des choux.

un graton :
un résidu de graisse de porc.

Claudine guette un signe de sa mère. Pas même un au revoir. Toujours recevoir des ordres et les exécuter. Claudine pense : « Pourquoi travailler autant ? Pourquoi dans cette maison personne ne se parle vraiment ? Tout le monde ne pense qu'au travail. Est-ce qu'il faudra que je vive comme Maman, avec un homme qui ne me parlera pas et que je n'aimerai plus ? »

Et le silence de l'atelier, avec les petits frères qui somnolent encore sur les matelas, devient si pesant que Claudine a besoin d'entendre sa propre voix et s'écrie :
– Qu'est-ce que je deviendrai en grandissant ?
M. Boichon, surpris par la voix de sa fille, répond en ronchonnant :
– Tu iras à l'usine, comme ta mère.

Lyon, rue des Canuts en 1928.

De nouveau un silence.

Claudine ne tisse plus. Elle met la tête dans ses mains.
Puis elle saute en bas de la banquette, vient se placer devant
son père et dit en se redressant :
– Non, j'irai pas à l'usine. J'irai en classe. J'apprendrai un
cuchon de choses. Dans le quartier, il y a des enfants qui vont
en classe. Noémi y va. Pourquoi pas moi ?
M. Boichon fixe Claudine et lui envoie une gifle.
Claudine baisse la tête, grimpe à nouveau sur sa banquette.

un cuchon :
beaucoup.

Soudain elle est prise d'une toux violente qui secoue son corps.
Elle se lève et se retourne vers son père :
– Maman a l'air toute vieille. Elle est triste. On la paye mal.
Elle ne s'amuse jamais. Moi, je ne veux pas vivre comme ça.
– On n'a pas le temps de faire les musards ici ! Surtout en ce
moment. On a des commandes pour deux mois. Moi, j'ai mon
velours. Toni a son taffetas. Toi, ton uni. De quoi tu te plains ?
Il secoue Claudine par les épaules :
– De quoi tu te plains, hein ?
Claudine se met à tousser sans pouvoir s'arrêter.
– Ne viens pas nous faire des embiernes ! hurle son père, au
travail !
Toni regarde la scène et n'ose pas intervenir.
Claudine s'est réfugiée près de ses frères qui se sont réveillés.
Elle a le visage violacé, ses lèvres tremblent.

un musard :
un paresseux.

une embierne :
une difficulté.

▼ Qui est Claudine ? Où vit-elle ? Que fait-elle ?
▼ À quoi voit-on qu'elle n'est pas en bonne santé ?
▼ Pourquoi se révolte-t-elle tout à coup ?
▼ Que penses-tu du père de Claudine ? De sa mère ?
De la manière de vivre de la famille ?

Le journal d'Adèle

Paule du Bouchet, *Le Journal d'Adèle*, « Lecture Junior », Gallimard Jeunesse, 1995.

C'est la guerre. Adèle habite un petit village à deux cents kilomètres de Verdun. Elle tient un journal.

28 août 1916

Paul est revenu ! Hier soir, il y avait de la brume. J'étais en train de barricader le portail, j'ai vu une figure qui traversait la rue en biais, vers chez nous. Je ne reconnaissais pas la silhouette, je barricade plus fort. Et puis nos deux vieux chiens se ruent, ils s'arrêtent pile, le poil tout debout ! Et ils n'aboient pas, ils jappent doucement, ils glissent leur truffe sous la porte. Je n'ose pas y croire… Les chiens agitent la queue. J'ouvre, j'entends sa voix, je ne le reconnais pas mais c'est sa voix, c'est lui, c'est mon Paul ! Maman accourt, pleure, moi aussi, le grand-père… Paul ne pleure pas. Il s'avance lentement, en béquillant. Alors je comprends : il a une jambe en moins. Il a regardé maman, le grand-père, moi, puis tout autour de lui comme pour voir si quelqu'un d'autre n'arrivait pas. Et puis il a baissé la tête et une larme a coulé. Il a seulement murmuré : « Je savais », si bas qu'on l'a à peine entendu. Maman s'est jetée dans ses bras en sanglotant. Pour Eugène, il savait, pour papa, on ne le lui avait pas dit.

Théophile Steinlen (1859-1923),
Soldat convalescent assis, 50 x 33 cm.

On est rentré à la maison. Paul s'est assis lourdement à côté de la cuisinière, ses béquilles devant lui. Tout le monde s'est mis à parler à la fois. Mais lui, il ne disait rien. Il a fait signe qu'il avait faim. On lui trempe la soupe et il mange en silence, lentement. On sent que sa gorge lui fait mal. Il ressemble si peu au Paul que je connaissais. Ça fait presque peur. Il a le visage gonflé, les yeux hagards, les lèvres serrées comme s'il ne pouvait plus ni sourire ni embrasser.

hagard :
égaré,
dans le vague.

On est resté très tard. Grand-père a fait du feu bien qu'on soit en août. Personne ne parle trop, les larmes de maman coulent sans qu'elle s'en aperçoive. C'est mon frère chéri, mon frère vivant. Il est là, je tiens sa main. Mais elle est froide. Seul son chien de chasse est tout joyeux, couché à ses pieds.

Amedeo Modigliani (1884-1920),
Fillette aux nattes, 60 x 45,5 cm.

▼ Adèle tient son journal. Qu'est-ce que cela veut dire ?
▼ D'où Paul revient-il ?
▼ Qu'est-ce qu'il devine, en arrivant ?
▼ À ton avis, pourquoi ne parle-t-il pas ?
▼ À quoi voit-on qu'Adèle aime beaucoup son frère ?

Étoile Noire, Aube Claire

Scott O'Dell, *Étoile Noire*, *Aube Claire*, Neuf de L'École des Loisirs, 1989.

Aube Claire est une jeune Esquimaude qui a décidé de participer à l'Iditarod, une grande course de traîneaux dans le nord du Canada. Elle repart ici de l'étape d'Ikuma, petite ville où habite sa famille.

On y voyait à peine. Une femme sortit de chez elle pour me donner un sac de provisions. Je ne la connaissais pas.

– Bonne chance ! me cria-t-elle.

L'envie ne me manquait pas de rentrer chez moi et d'y attendre le lever du jour.

Au contrôle, le commissaire me conseilla de ne pas partir.

le commissaire :

une des personnes qui organisent la course.

– Vous n'irez pas bien loin. Moins vingt-huit qu'il fait ici. Avec un vent de force dix, la température doit approcher moins trente-cinq.

– Il faisait bien plus froid à Kaltag, rétorquai-je.

– Vous risquez d'y laisser un doigt ou deux, une main, ou un pied. Peut-être même la vie…

Le commissaire faisait tout son possible pour me dissuader.

dissuader :

persuader de ne pas faire quelque chose.

– J'ai habité Womengo. Je connais le pays.

– Si vous n'y voyez rien, comment ferez-vous pour savoir où vous êtes ?

les patins :

les planches qui permettent au traîneau de glisser.

– Mon chien de tête saura bien, lui.

Nous nous enfonçâmes dans la tourmente. Étoile Noire faisait quelques pas, puis s'arrêtait constamment. Je descendis des patins pour marcher à côté de lui, mais il refusait d'aller plus vite. Je me décidai finalement à le précéder. Mais de cette façon, nous ne parcourûmes que trois kilomètres en une heure,

précéder :

aller devant.

ce qui était vraiment peu. Mon haleine gelait sitôt sortie de mes lèvres.

Peu avant l'aube, je m'arrêtai pour servir aux chiens un repas chaud préparé sur le réchaud. Je mangeai trois sandwichs que m'avait donnés ma mère et entamai le sac de *peepse*, le poisson séché que la femme était venue m'apporter dans la tempête de neige.

Il fallait que je dorme, une heure au moins, et les chiens également. Nous bloquions la piste, et bien qu'il y eût peu de chance de voir arriver d'autres concurrents avant le lever du jour, je jugeai préférable de camper à l'écart.

Le hasard me fit trouver un chemin qui quittait la piste. Il était marqué par une multitude de traces fraîches, si nombreuses et si embrouillées que je ne sus dire avec certitude quels animaux les avaient laissées. Des renards, des gloutons, peut-être même des loups.

un glouton :
un mammifère carnivore qui ressemble au blaireau.

Le chemin menait à une cabane abandonnée, dont les murs tenaient encore debout, mais dont le toit s'était effondré. Au-dessus de la porte étaient accrochés les bois croisés de deux caribous mâles morts sans doute dans le combat qui les avait opposés. La lumière de ma lanterne leur donnait une blancheur fantomatique.

J'attachai les chiens à proximité du porche et, dans une vieille caisse en fer toute rouillée, fis brûler du bois qui traînait alentour. La porte de la cabane qui était tombée quand je l'avais ouverte finit dans le feu, elle aussi.

Quelque peu réchauffée, j'installai mon duvet juste à l'entrée de la cabane, mais à l'abri de la tempête. Dans ma tête, je mis

un caribou :
....
un renne, mammifère qui ressemble au cerf.

Illustration de
Jean-Paul Tillac, 1927.

mon réveil à sonner aux aurores, et je me couchai pour dormir.

Je n'avais pas encore fermé l'œil qu'un loup apparut dans l'encadrement de la porte. Il hésita un instant, puis me sauta par-dessus pour gagner le fond de la cabane.

La lumière du feu me fit découvrir une nichée de bébés loups couchés dans un coin. Je regardai la mère mâcher un lapin des neiges avant de le leur donner en pâture.

Lorsqu'il ne se sent pas en danger, un loup peut montrer de la gentillesse, plus d'affection même qu'un chien. Malgré tout, cette louve devait appartenir à une meute dont les autres membres pouvaient revenir à tout instant et me causer bien des ennuis. Peut-être même faisait-elle partie de cette bande qui nous avait suivis, mais j'en doutais.

Luttant contre le sommeil et le froid vif, je réfléchissais à ce que je devais faire. Les yeux de la louve flamboyaient dans la lumière du feu. Elle s'occupait de ses petits mais son regard restait braqué sur moi.

Vaincue par le sommeil, je dus m'endormir, car lorsque je la revis, elle reniflait ma capuche. Sans faire le moindre mouvement, je lui parlai dans le langage des loups que j'utilisais avec Étoile Noire.

Elle me répondit de même, avec des intonations montantes et descendantes, qui étaient sauvages, qui n'avaient strictement rien d'humain, mais qui me parurent pourtant posséder la clarté des mots. Elle m'avait acceptée. Et me faisait confiance pour ne faire aucun mal à ses petits. D'un bond, elle sortit et disparut.

donner en pâture :
donner à manger.

▼ Retrouve les deux parties du texte et donne-leur un titre.
▼ Pourquoi la course est-elle dangereuse ?
▼ Que penses-tu de la rencontre d'Aube Claire avec les loups ?
▼ Quel est le caractère d'Aube Claire ? Comment réfléchit-elle ? Comment réagit-elle ?

Petit Nuage

Michel Piquemal, *Petit Nuage*, « Huit et plus », Casterman, 1995.

Petit Nuage est un garçon indien. Il a repéré un cheval sauvage (un mustang) qu'il voudrait bien apprivoiser.

Petit Nuage ne retourne pas au camp. Il veut encore et encore admirer le galop souple du mustang, entendre ses sabots résonner sur les pierres. Il n'en demande pas plus. Juste le voir fièrement arpenter les canyons, aussi libre et noble que l'aigle dans le ciel.

Le soir, comme répondant à sa prière, l'étalon revient. Mais il n'est pas seul. Tandis qu'il se penche pour boire, un lion des montagnes, sorti mystérieusement des rochers, lui saute sur l'encolure. Tout est si soudain que l'enfant reste figé. L'étalon se cabre. Il rue. Mais le félin a planté ses griffes qu'il ne desserre pas. Il sait qu'il tient sa victoire. Chaque ruade fait jaillir des étincelles de sang…

Et le cœur de Petit Nuage cogne toujours plus fort. En faisant des bonds fantastiques, l'étalon réussit pourtant à projeter le puma à terre. La bête se ramasse, s'apprête à bondir à nouveau. Alors, Petit Nuage se précipite en hurlant, son poignard à la main. Plus surpris qu'effrayé, le félin prend la fuite.

L'enfant s'approche du cheval, qui tremble nerveusement mais ne s'en va pas. Il s'approche encore, doucement, doucement. Le plus lentement possible, il tend la main et lui caresse le flanc. Un peu de sang suinte d'une entaille et vient mouiller ses

arpenter :
parcourir de long en large.

un canyon :
une vallée très profonde.

Jeune Indien d'Amérique du Nord, 1889.

École de George
Catlin (1794-1872),
*Indiens chassant
des bisons.*

doigts. Le mustang ne bouge toujours pas. Puis, brusquement,
il fait volte-face et s'éloigne au grand galop dans le canyon.

Le lendemain, il est à nouveau là. La présence du jeune Indien
ne l'effraie plus. Au lieu de s'enfuir dès qu'il a bu, il reste à
brouter l'herbe aux abords de la source.

Une bouffée d'espoir gagne alors le cœur de Petit Nuage ; et
les paroles de sa grand-mère lui reviennent en mémoire, des
paroles auxquelles il n'aurait jusqu'alors jamais voulu croire :
« Retrouve et ramène ce mustang, mon fils ! »

Mais, pour cela, il lui faut être plus patient encore.

Il continue son approche, lui parlant à mi-voix, le priant, l'implorant avec des mots tendres et flatteurs… « Mon bel étalon,
mon beau, mon tout beau. »

Le mustang se laisse peu à peu caresser. Il accepte l'eau que
l'enfant verse en pluie sur ses flancs pour nettoyer ses bles-
sures. Il mange les racines sucrées que sa main lui tend.

Lorsque Petit Nuage lui parle, il semble écouter.

Au fil des jours, il s'habitue à cette présence devenue familière.

faire volte-face :
se retourner
brusquement.

Alors, Petit Nuage se saisit de sa crinière et grimpe sur son dos. Le corps du mustang se raidit, mais le jeune garçon se fait si léger que l'animal n'éprouve pas le besoin de ruer. Petit Nuage lui parle au creux de l'oreille, le rassure encore... Le cheval détend ses muscles : il l'a accepté ! Mais cet étalon n'est pas un simple poney que l'on dresse, ni même un cheval sauvage que l'on dompte. S'il a accepté l'enfant, il demeure libre et farouche. Pour apprendre à le diriger, ce sont encore d'interminables moments d'infinie patience. Il faut gagner sa confiance, l'apprivoiser. Et Petit Nuage sait qu'à la moindre maladresse, il disparaîtra à jamais.

farouche :
sauvage, fier.

Lorsqu'il se plie enfin à ses ordres, c'est parce qu'il a adopté l'enfant comme ami. Il a désormais besoin de sa présence douce et rassurante. Mais jamais il ne supportera un autre maître sur son dos. Petit Nuage le sait lorsqu'il retourne chez les siens, gonflé de bonheur et d'orgueil.

À son arrivée au village, personne n'en croit ses yeux. Le crieur parcourt le cercle des tentes en proclamant à pleine voix :

– Petit Nuage, l'enfant boiteux, a capturé un mustang !

Et tous se pressent pour lui faire fête.

Grand-mère, qui parle aux esprits dans le secret de sa tête, sait depuis longtemps la nouvelle. Elle sort de son tipi et tend au jeune garçon une couverture qu'elle a peinte, pour couvrir le dos du cheval, à la mode indienne. Elle représente un enfant qui galope, suivi dans le ciel par les ailes immenses de l'aigle sacré.

▼ Combien de temps faut-il pour que Petit Nuage apprivoise le mustang ?
▼ Pourquoi est-ce si difficile ?
▼ Comment Petit Nuage s'y prend-il ? Comment se font les progrès ?
Par quelles étapes ?
▼ Pourquoi est-ce encore plus difficile pour Petit Nuage ?
▼ Quel est le rôle de la grand-mère de Petit Nuage ?

La crypte

Denis Côté, *La Trahison du vampire*, La Courte Échelle, 1995.

Le narrateur s'est lancé à la poursuite de celui qu'il croyait être son ami,
Red Lerouge.

Je me suis réveillé en sursaut.

J'étais étendu sur une dalle. Une draperie rouge dissimulait le mur en face de moi. Les autres murs, ainsi que le plafond et le plancher, étaient en pierre brute.

À ma gauche, tout n'était qu'obscurité. À ma droite, rempli à moitié de charbons ardents, un brasero répandait un peu de lumière.

Je me trouvais dans une espèce de crypte.

Je claquais des dents à cause du froid. Ma tuque avait disparu, mais les vampires m'avaient laissé mes autres vêtements d'hiver.

Les vampires ! Soudain, je me souvenais de tout : Etcétéra, la tempête, Red Lerouge, ses acolytes !

Affolé, j'ai tâté mon cou. Aucun signe de morsure. Pourquoi Red m'avait-il épargné ?

Je suis descendu de la dalle avec précaution. J'ignorais où étaient les vampires, mais je ne voulais surtout pas les attirer en faisant du bruit.

Les murs étaient couverts de moisissure. Des fils d'araignées s'accrochaient

un brasero :
un récipient contenant un feu.

une tuque :
un bonnet de laine.

un acolyte :
un compagnon, un complice.

La Marque du vampire, film de Tod Browning, 1935, avec Bela Lugosi (Dracula).

à mon visage. Il ne manquait que deux ou trois squelettes pourrissant sur le sol !

Un tableau était pendu au mur, juste au-dessus du brasero. En le regardant de plus près, je n'ai pu m'empêcher de frémir.

C'était un portrait de Red Lerouge. Et pourtant, jamais je n'aurais pu l'imaginer aussi diabolique !

Passons vite sur sa chevelure blanche, car je savais que le noir n'était pas sa couleur naturelle.

Ses yeux étaient entièrement rouges, les globes oculaires étaient gorgés de sang. Sa bouche ouverte laissait voir deux crocs prêts à mordre. Son expression en était une de pure cruauté, sinon de démence.

Il portait un costume noir et une longue cape rouge. En arrière-plan, un vieux château se dressait au sommet d'une montagne. L'ensemble baignait dans la brume et dans la nuit.

Ce tableau suggérait que Red était bien plus qu'un simple vampire. Il faisait songer à un seigneur ! À un vampire régnant sur d'autres vampires !

Autrement dit, à une sorte de Dracula !

Mardi dernier, Red n'avait pas cédé à des pulsions trop fortes pour lui. En réalité, il n'avait jamais cessé d'être un vampire ! Depuis des années, il mentait à tout le monde à propos de sa prétendue abstinence !

Ça me terrifiait de découvrir à quel point je m'étais trompé à son sujet. Ou plutôt, non, c'était *lui* qui m'avait trompé ! Red Lerouge m'avait berné comme seul un monstre de son acabit en était capable !

Et c'était ce monstre-là qui me gardait prisonnier à l'intérieur de cette crypte !

Soudain, quelqu'un m'a touché l'épaule gauche. Je me suis retourné en criant.

Il n'y avait personne.

– Qui… qui est là ? ai-je demandé en retenant mon souffle.

Pour toute réponse, j'ai senti une nouvelle pression sur mon épaule. J'ai bondi de côté. Toujours personne !

une pulsion :
une envie irrésistible de faire quelque chose.

prétendu :
affirmé mais sûrement faux.

l'abstinence :
le fait de se priver de faire quelque chose.

Mes ravisseurs avaient-ils le pouvoir de se rendre invisibles ? Si oui, cherchaient-ils à me faire mourir de terreur ? Quand ça s'est reproduit une troisième fois... Horreur ! Une araignée était juchée sur mon épaule ! Une araignée couverte de poils noirs, aussi grosse qu'une main d'homme !

Je l'ai vite repoussée, puis je me suis adossé au mur. Je tremblais des pieds à la tête. D'où venait cette affreuse bestiole ? Y en avait-il d'autres ? Je scrutais les alentours avec des yeux exorbités.

Dans la partie obscure de la crypte, un mouvement a attiré mon attention. J'ai cessé de respirer.

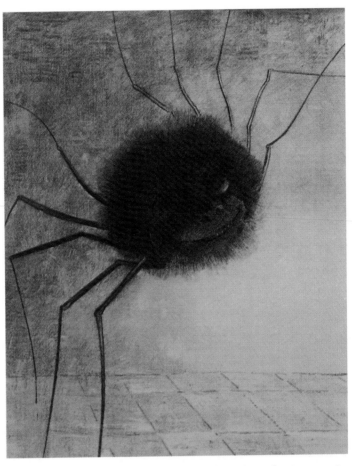

Odilon Redon (1840-1916), *L'Araignée souriante*, fusain au papier.

Le mur, là-bas, était couvert de centaines d'araignées qui bougeaient ! Elles étaient en train de descendre ! Quelques-unes avaient même atteint le plancher et s'avançaient dans ma direction !

J'étais paralysé ! Déjà, plusieurs bestioles avaient contourné la dalle. Les autres continuaient à se détacher du mur pour se joindre à la horde.

Deux mètres seulement nous séparaient ! Désespéré, je cherchais des yeux un moyen de défense quelconque. Rien !

Si je me déplaçais, les araignées étaient tellement nombreuses qu'elles me rejoindraient aussitôt ! Il n'existait qu'une seule solution : sortir d'ici. Mais je ne voyais aucune porte ! J'étais pris au piège !

un hystérique :

quelqu'un qui est si énervé qu'il ne se contrôle plus.

Les premières araignées ont touché mes bottes. J'ai piétiné le sol en hurlant pour les chasser. Quand l'une d'elles a monté le long de ma jambe, j'ai perdu la tête.

Je me suis élancé comme un hystérique, sans regarder où j'allais. J'ai heurté le brasero. Le bassin a basculé et, dans un jaillissement d'étincelles, les charbons se sont répandus sur le sol.

À présent, les araignées couraient en tous sens. Quelques-unes grillaient en dégageant une odeur nauséabonde. Moi, je ne bougeais plus.

Un charbon avait roulé jusqu'à la draperie rouge et un large pan de tissu flambait. La fumée, noire et épaisse, me faisait tousser. Les larmes brouillaient ma vue. Autour de moi, la température s'élevait rapidement.

Un morceau de la draperie est tombé en cendres. Surprise ! Là où il aurait dû y avoir un mur, je ne distinguais rien. Était-ce une illusion d'optique ? Je me suis rapproché en évitant les charbons et les araignées devenues folles. Je ne m'étais pas trompé ! Avant de brûler, ce morceau de draperie dissimulait l'entrée d'un couloir.

Une fois dans le passage, j'ai couru à perdre haleine. Puis, j'ai dû ralentir après un tournant, car la lumière des flammes ne m'éclairait plus.

Il faisait si noir maintenant que je m'orientais en tâtant les murs visqueux. C'était dégoûtant ! Je craignais d'entrer en contact avec une araignée perdue ou d'en recevoir une sur la tête.

Je tâchais de faire le moins de bruit possible. De même que l'obscurité, le

Eugène Delacroix (1798-1863), *Escalier*, dessin.

silence absolu semblait cacher quelque chose d'hypocrite et de dangereux. À tout moment, je m'attendais à voir apparaître un vampire, sinon Red Lerouge lui-même.

Après une assez longue distance, mes pieds ont heurté un obstacle. C'était une marche, la première d'un escalier creusé à même le mur.

À plusieurs reprises, j'ai failli glisser en montant les marches humides. Les ténèbres m'enveloppaient toujours et le froid était revenu. L'inédit, c'était cette odeur de moisi qui agressait mes narines.

Les marches se sont arrêtées à l'entrée d'un nouveau passage. J'ai tourné à droite. Toujours en tâtonnant, je suis arrivé au bas d'un autre escalier.

J'avais gravi une trentaine de marches quand j'ai entendu des bruits venant de plus haut. Des couinements, des grattements. Et ces bruits se rapprochaient !

Des rats ! Des rats, bien sûr ! Pas de mignons petits rats blancs que l'on achète dans une animalerie. Mais de gros rats gris, sournois, affamés et infestés de microbes !

Au diable la moisissure ! Faisant demi-tour, j'ai dévalé les marches. Puis j'ai foncé dans le couloir, les bras tendus devant moi.

À leur tour, les rats ont quitté l'escalier. Leurs cris, multipliés par l'écho, avaient complètement balayé le silence.

J'ai failli m'assommer en rencontrant un mur de pierres. Heureusement, mes bras ont amorti le choc.

J'étais arrivé au bout d'un cul-de-sac !

hypocrite :
qui trompe, qui fait semblant, faux.

les ténèbres :
l'obscurité.

l'inédit :
le fait nouveau.

un cul-de-sac :
une impasse.

▼ Où se trouve le personnage ? Retrace le chemin qu'il parcourt (en faisant un dessin ou un plan, par exemple).
▼ Repère les différentes étapes en montrant bien les rebondissements.
▼ Retrouve tout ce qui est désagréable ou horrible dans ce souterrain.
▼ Qu'apprend-on sur les vampires en lisant ce texte ?

Le faucon malté

Anthony Horowitz, *Le Faucon malté*, Hachette Jeunesse, 1988.

Nick vient d'être capturé par une bande de gangsters qui semblent prêts à tout. La scène se passe à Londres, au bord de la Tamise.

« Écoutez, Lenny, commençai-je d'un ton raisonnable.

– Silence, le môme ! » aboya-t-il.

Benny et Kenny apportèrent deux grands seaux de ciment humide et attendirent que Lenny hoche la tête pour les décharger dans la baignoire. Le ciment se déversa mollement autour de mes pieds comme de la bouillie froide. Sous le poids, je sentis mes pieds s'écraser dans mes chaussures et tentai de remuer les orteils.

intimer :
ordonner.

« Ne bouge pas, m'intima Lenny en pressant le canon de son arme contre ma joue.

– Mais c'est froid et mouillé, protestai-je faiblement.

– Ça séchera vite, ne t'inquiète pas. C'est du ciment à prise rapide. Plus tu resteras tranquille, plus tôt ce sera fini. »

Deux autres seaux de ciment s'ajoutèrent aux premiers, puis encore deux. À présent, le ciment atteignait mes genoux. Quiconque m'aurait aperçu dans cette position, assis les jambes dans une baignoire face à la Tamise, m'aurait pris pour un fou. Malheureusement personne ne pouvait me voir et je n'étais pas fou. La nuit tombait, le brouillard s'épaississait, le ciment aussi.

Lenny ne prenait même plus la peine de m'intimider avec son

Ed Paschke (né en 1939), *Melon-lame*, 1977.

arme. Le ciment se solidifiait rapidement et il m'était impossible désormais de soulever les pieds. La peur commença réellement à m'envahir. Vous connaissez le dicton à propos du pied dans la tombe ? Moi j'en avais deux et je pressentais que mes quatre amis n'allaient pas tarder à me jeter dans la rivière où je coulerais comme une pierre.

Ed Paschke, *Dubois*, 1978.

On raconte que, au moment de mourir, l'homme voit défiler le film de sa vie entière. Dans mon cas, la séquence dura à peine cinq secondes, ce qui m'attrista profondément. J'avais peu vécu et consacré la plus grande partie de mon temps à l'école. Tout à coup, un clapotis provenant de la rivière me fit dresser l'oreille. Un bateau ! Un espoir fou me saisit, qui s'évanouit aussitôt quand je remarquai le sourire des quatre brutes. Fred avança sur la berge. La proue effilée d'un yacht lisse et blanc déchira le rideau de brouillard, puis une passerelle s'abaissa sur le talus et le Gros mit pied à terre.

la proue : ....
l'avant d'un bateau.

Il portait un smoking, un nœud papillon mauve, une écharpe de soie blanche. Après un léger signe de tête en direction de ses hommes de main, il s'avança vers moi, puis se pencha pour tâter le ciment du bout des doigts. Le ciment s'était figé en un bloc compact, je ne sentais plus mes pieds. Le Gros se redressa, entouré des quatre tueurs.

« Tu ne fais plus d'esprit aujourd'hui, Nicholas ? ricana-t-il. Aucun bon mot pour nous distraire ?

– Vous êtes timbré, grommelai-je.

– Et toi tu es stupide, mon garçon. La chance t'a souri à l'hôtel *Splendide*, mais maintenant c'est fini.

– Que me reprochez-vous ?

– Tu m'as menti. Pire, tu m'as défié. Je t'avais accordé deux jours pour me remettre ce que je cherche, or tu l'as gardé pour toi.

défier : ....
chercher le combat, provoquer.

**la boîte
de Maltés :**

*il s'agit d'une boîte
de chocolats dont
le code-barres est
un code secret
(une clef) pour
voler des diamants.*

désarçonner :

étonner, troubler.

– Eh bien… accordez-moi une seconde chance. »

Il renifla puis se tourna vers Fred qui lui tendait la boîte de Maltés, et l'approcha de la lampe à pétrole pour l'examiner.

« Parfait », murmura-t-il.

Son sourire satisfait me désarçonna. Comment avait-il appris le secret des Maltés ?

« Tu te demandes comment je suis au courant, n'est-ce pas ? gloussa-t-il en se tournant vers le yacht. Professeur ! Descendez nous rejoindre ! »

Une silhouette se profila dans le brouillard et approcha jusqu'à la limite du cercle de lumière. Quentin Quisling cligna des yeux.

« Vous m'avez remis la mauvaise boîte, jeune homme, me lança-t-il d'un ton de reproche.

– Dès qu'il s'en est rendu compte, le Professeur est venu me trouver, poursuivit le Gros. Sage décision de sa part. Sais-tu que le Professeur est l'inventeur de cet ingénieux procédé ? Le Faucon désirait une clef qui ne ressemblait pas à une clef, à cause de ses nombreux ennemis.

– Mais pourquoi avoir choisi des Maltés ? demandai-je pour satisfaire ma curiosité.

– Parce que j'adore les Maltés, gloussa le Professeur.

Ed Paschke, *Le Sac*, 1983.

– Désormais ils sont entre mes mains, reprit le Gros avec un sourire réjoui qui étirait sa peau flasque. Et le Professeur va bientôt me confier ce qu'ils ouvrent.

– Ensuite vous le tuerez, je suppose ?

– Tais-toi », gronda le Gros.

Je n'avais plus rien à perdre. Il me restait quelques minutes à vivre et le froid du ciment me pénétrait déjà les os.

« Vous n'espérez pas sérieusement que le Gros va partager le butin avec vous, Professeur, n'est-ce pas ? Une fois que vous lui aurez dévoilé le secret, vous me rejoindrez au fond de la Tamise.

– Nous sommes convenus de partager moitié moitié », bougonna Quisling.

Pourtant, j'avais éveillé un doute dans son esprit. Le Gros s'en aperçut lui aussi. Il devint livide et les veines de son cou gonflèrent tellement sous le coup de la colère qu'elles menaçaient de faire craquer son nœud papillon.

« Jetez-le à l'eau ! hurla-t-il. Immédiatement ! »

Lenny, Benny et Kenny se précipitèrent pour soulever la baignoire, avec moi dedans. J'aurais hurlé, pleuré, supplié, si j'avais cru que hurler, pleurer ou supplier servirait à quelque chose. Les trois hommes avançaient

Ed Paschke, *Mandrix*, 1977.

pesamment vers la berge sous le regard furieux de leur patron. Je vis l'eau noire approcher.

Nous étions arrivés à deux mètres à peine du bord lorsqu'un puissant projecteur troua brutalement la nuit et le brouillard.

Les gangsters stoppèrent net, pétrifiés. Il y eut un grésillement, puis une voix retentit, déformée par un amplificateur.

« Police ! Ne bougez pas, vous êtes encerclés ! »

....

▼ Qu'arrive-t-il à Nick ? Pourquoi ?

▼ Quels sont les principaux rebondissements de cet épisode ?

▼ Comment Nick fait-il pour essayer de sauver sa vie ? À ton avis, s'y prend-il bien ?

▼ Il s'agit d'un roman policier. À quoi le vois-tu ?

▼ Est-ce que ce texte t'a plu ? Explique ta réponse.

....

L'escarboucle bleue

Conan Doyle, *L'Escarboucle bleue*, « Les classiques du polar », Hatier, 1994.

Un homme qui portait une oie a perdu son chapeau dans la rue. Pour Sherlock Holmes, le célèbre détective, c'est la première étape d'un long chemin qui va le mener jusqu'au voleur d'un diamant très précieux, l'escarboucle bleue. Aidé de Watson, il va essayer de découvrir le propriétaire du chapeau perdu.

— Alors, sur quels indices pouvez-vous vous baser pour découvrir son identité ?

— Seulement sur ceux que nous pourrons déduire.

— À partir de son chapeau ?

— Précisément.

— Mais vous plaisantez ! Que pouvez-vous tirer d'un vieux chapeau bosselé ?

— Voici ma loupe. Vous connaissez mes méthodes. Que pouvez-vous découvrir vous-même sur la personnalité de l'homme qui portait cet objet ?

une jugulaire :
un ruban ou une lanière qui passe sous le menton.

Je pris en mains la misérable chose et la retournai sans enthousiasme. C'était un chapeau noir très ordinaire, rond comme le sont habituellement les chapeaux melons, dur et importable. La doublure, qui avait été en soie rouge, était en grande partie décolorée. Il n'y avait pas de nom de fabricant mais, comme Holmes l'avait fait remarquer, les initiales « H. B. » étaient griffonnées sur un côté. Le bord était percé, comme pour une jugulaire, mais l'élastique manquait. Pour le reste, il était fendu, extrêmement poussié-

René Magritte (1898-1967), *Le Bouchon d'épouvante*, 14,3 x 25,5 x 31,2 cm.

reux, taché en plusieurs endroits ; il semblait qu'on avait essayé de cacher les parties décolorées en les barbouillant d'encre…

– Je ne vois rien, dis-je en le tendant à mon ami.

– Au contraire, Watson, vous voyez tout, mais vous n'arrivez pas à raisonner d'après ce que vous voyez. Vous êtes trop timoré pour en tirer des conclusions.

– Alors, dites-moi, s'il vous plaît, ce que vous déduisez de l'examen de ce chapeau.

Il le prit et l'observa de sa manière bien particulière.

– Il est peut-être moins évocateur qu'il aurait pu l'être, remarqua-t-il, mais on peut en déduire quelques

LE DISQUE ROUGE 3fr.50
Conan Doyle
NOUVEAUX EXPLOITS DE SHERLOCK HOLMES
LA RENAISSANCE DU LIVRE
78, BOULEVARD SAINT-MICHEL. PARIS

faits précis et d'autres qui présentent au moins de fortes probabilités. D'après l'aspect extérieur de ce chapeau, il est, bien sûr, évident que son propriétaire est un intellectuel qui, au cours de ces trois dernières années, était très à l'aise, bien qu'il traverse maintenant une période de vaches maigres. Il était prévoyant, mais l'est moins actuellement, ce qui dénote une dégénérescence morale qui, ajoutée au déclin de sa fortune, semble indiquer une mauvaise influence, probablement celle de la boisson. Ceci peut aussi expliquer un autre fait évident, à savoir que sa femme a cessé de l'aimer.

– Mon cher Holmes !

– Il n'a cependant pas perdu tout respect de soi-même, continua-t-il sans tenir compte de ma protestation. C'est un homme qui mène une vie sédentaire, qui sort peu, qui a perdu sa forme physique, qui est entre deux âges et a des cheveux gris qu'il a fait couper il y a quelques jours ; il les lisse avec un cosmétique

timoré :
timide, craintif.

une période de vaches maigres :
une période de pauvreté.

une dégénérescence :
une baisse, une diminution, un déclin.

un cosmétique :
une crème.

René Magritte,
L'Esprit d'aventure,
1962, 55,4 x 46 cm.

au citron. Voici les faits les plus évidents que nous pouvons déduire de l'examen de ce chapeau. Ah ! j'y pense, il est très peu probable qu'il ait le gaz chez lui.

– Vous plaisantez sans doute, Holmes ?

– Pas le moins du monde. Est-il possible que même maintenant que je vous ai donné tous ces résultats, vous soyez incapable de voir comment je les ai obtenus ?

– Je ne suis évidemment pas très intelligent, mais je dois vous avouer qu'il m'est impossible de vous suivre. Par exemple, comment pouvez-vous conclure que cet homme est un intellectuel ?

Pour toute réponse, Holmes se coiffa du chapeau. Celui-ci lui descendit jusqu'aux yeux.

– Simple question de volume ! dit-il. Un homme doué d'un cerveau aussi important doit avoir quelque chose dedans.

– Et le déclin de sa fortune ?

– Ce chapeau a trois ans. Son rebord plat relevé à l'extrémité, était à la mode alors. Regardez le ruban de soie et la qualité de la doublure. Si cet homme pouvait s'offrir, il y a trois ans, un chapeau aussi coûteux et n'en a pas changé depuis, c'est qu'il a subi un revers de fortune.

– Entendu, c'est assez clair. Mais… sa prévoyance et sa dégénérescence morale ?

Sherlock Holmes rit.

un revers de fortune :

une forte diminution de fortune.

– Pour la prévoyance, voilà ! dit-il en posant son doigt à l'endroit où avait dû être fixée la jugulaire. Les chapeaux melons ne sont jamais vendus avec ces accessoires. Si cet homme les a commandés, c'est un signe de prévoyance, puisqu'il s'est écarté

René Magritte, *Le Maître d'école*, 1955, 81 x 60 cm.

de ce qui se fait pour prendre cette précaution contre le vent. Mais étant donné que l'élastique est cassé et qu'il ne s'est pas inquiété de le faire remplacer, il est évident qu'il est moins prévoyant que jadis, preuve d'un affaiblissement de son caractère. Par ailleurs, il s'est efforcé de dissimuler certaines des taches sur le feutre en les enduisant d'encre, ce qui indique qu'il n'a pas perdu tout respect de soi-même.

plausible :
logique, que l'on peut croire.

– Votre raisonnement est effectivement plausible.

– Quant aux faits suivants : qu'il est entre deux âges, qu'il a des cheveux grisonnants, coupés récemment, qu'il se sert d'un cosmétique au citron, je les ai facilement recueillis en examinant attentivement la partie inférieure de la doublure. La loupe relève un grand nombre de petits bouts de cheveux, coupés par les ciseaux du coiffeur. Ils sont tout collants et ont une odeur très nette de cosmétique au citron... Vous observerez la poussière sur le chapeau, ce n'est pas la poussière grise et cendreuse des rues, mais la poussière brune et duveteuse des maisons, témoignant que celui-ci reste, la plupart du temps, suspendu à l'intérieur. Quant aux traces humides de la doublure,

irréfutable :
indiscutable.

elles sont des preuves irréfutables que le porteur de ce couvre-chef transpire beaucoup et n'est donc pas au mieux de sa forme.

– Mais sa femme... vous dites qu'elle a cessé de l'aimer.

– Ce chapeau n'a pas été brossé depuis des semaines. Quand je vous verrai, mon cher Watson, avec la poussière d'une semaine sur votre chapeau, et quand votre femme vous laissera sortir ainsi, je penserai que vous aussi avez été assez malchanceux pour perdre l'amour de votre femme.

– Mais il est peut-être célibataire.

un gage :
une preuve.

– Non, il rapportait l'oie chez lui, en gage de paix à sa femme. Souvenez-vous du carton attaché à la patte de la volaille.

– Vous avez réponse à tout. Mais comment diable, pouvez-vous déduire qu'il n'a pas le gaz chez lui ?

le suif :
de la graisse animale utilisée pour faire des chandelles.

– Une, voire deux taches de suif, peuvent avoir été faites par hasard ; mais quand je n'en vois pas moins de cinq, je pense qu'il y a de fortes chances que l'individu soit souvent en contact avec le suif brûlant. Il monte probablement le soir avec son chapeau d'une main et sa chandelle, qui coule, de l'autre. De toutes façons, on ne fait jamais de taches de suif avec un brûleur à gaz. Êtes-vous satisfait ?

René Magritte,
Le Bon Exemple, 1953.

▼ À quoi voit-on qu'il s'agit d'un roman policier ?
▼ Fais oralement le portrait du personnage qui est peut-être un suspect.
▼ Quel est le rôle de Watson ?
▼ Que penses-tu des déductions de Sherlock Holmes ?

L'oncle Robinson

Jules Verne, *L'Oncle Robinson*, « La Bibliothèque Verne », Le Cherche Midi éditeur, 1991.

Un bateau a fait naufrage. Flip, un matelot, se retrouve sur une île déserte, ainsi que Madame Clifton et ses quatre enfants, Marc, Robert, Jack et Belle.

« Flip, dit-il.

– Monsieur Marc.

– Eh bien ! le canot !

– Le canot ! s'écria le marin. Le canot retourné ! C'est un toit ! La maison viendra plus tard ! Venez, mes jeunes messieurs, venez ! »

Marc, Robert, Mrs. Clifton et Flip avaient couru au canot ! Flip proclamait Marc un garçon <u>industrieux</u>. C'était le digne fils d'un ingénieur ! Le canot retourné ! Il n'aurait pas imaginé cela, lui, Flip, avec toute son expérience !

Il fallait maintenant amener le canot jusqu'au pied de la falaise afin de l'établir contre la muraille même. C'était, fort heureusement, une légère embarcation, construite en <u>sap</u>, ne mesurant que douze <u>pieds</u> de long sur quatre de large. En réunissant leurs efforts, Flip, les deux garçons et Mrs. Clifton pouvaient le traîner sur le sable jusqu'au campement. Flip, très vigoureux, s'arc-boutant sur ses jambes et poussant du dos à la manière des pêcheurs, donna le premier élan alors au canot, qui, en peu d'instants arriva à destination.

Là, de chaque côté de l'<u>évidement</u> de la roche, Flip établit deux bases de grosses pierres, destinées à supporter les deux extrémités de l'embarcation à une hauteur de deux pieds au-dessus du sol. Cela fait, le canot fut retourné, la quille en l'air. Déjà, Jack et Belle voulaient se fourrer dessous, mais Flip les arrêta.

« Un instant, dit-il, qu'est-ce qui tombe là sur le sable ? »

En effet, pendant que l'on procédait au retournement du

---

industrieux :
habile, travailleur.

en sap :
en bois de sapin.

un pied :
une mesure de longueur (0,324 m).

un évidement :
un creux.

canot, un objet avait roulé à terre en produisant un bruit métallique. Flip se baissa vivement, et il ramassa l'objet en question.

« Bon ! s'écria-t-il, nous voilà riches à présent. »

Et il montrait une vieille bouilloire de fer, cet ustensile si cher à tout matelot américain ou anglais. Ladite bouilloire était fort bossuée, ainsi que l'observa Flip en l'examinant près du feu, mais elle pouvait contenir cinq à six pintes de liquide. C'était donc un ustensile d'un prix inestimable pour la famille Clifton.

« Ça va bien ! ça va bien ! répétait joyeusement maître Flip, un couteau, une bouilloire ! Nous voilà pourvus, et les cuisines de la Maison-Blanche ne sont pas mieux montées que la nôtre ! »

bossué :
avec des bosses.

pourvu :
équipé.

la Maison-Blanche :
l'habitation du Président des États-Unis.

Illustration pour *Robinson*, vers 1850.

Illustration pour *Robinson*, vers 1850.

*des appareils
qui servent
à soulever
des objets lourds.*

le plat-bord :

*le bord
de la coque.*

Le canot retourné fut alors rapproché des piliers de pierre. Son avant reposa bientôt sur le pilier de droite ; mais c'était une grosse affaire de relever son arrière, sans palan et sans cric.

« Bah ! mes jeunes messieurs ! dit-il aux enfants qui l'aidaient, quand on n'est pas fort, il faut être malin. »

Et peu à peu, en glissant les uns sous les autres des galets amincis en forme de coins, Flip parvint à reporter l'arrière du canot à la hauteur de l'avant. Son plat-bord de gauche s'appuyait alors contre la falaise. Pour rendre cet abri improvisé encore plus impénétrable à la pluie, Flip étendit la voile sur les flancs du canot, de façon à ce qu'elle retombât jusqu'à terre. Le tout constituait donc une sorte de tente dont le solide toit défiait les plus violentes rafales.

En outre, Flip creusa le sable au-dessous du canot et, rejetant le sable au-dehors, il en forma un bourrelet destiné à couper les infiltrations de la pluie.

Enfin, les enfants et lui recueillirent en quelques instants une grande quantité de mousses dont la partie inférieure de la falaise était tapissée, sortes d'androeacées ramifiées et brunâtres, qui forment la mousse de roche par excellence ; c'était un édredon naturel, qui changea le fond de sable en un lit moelleux. Flip, enchanté, ne tarissait pas.

« C'est une maison ! une véritable maison ! répétait-il, et je commence à croire que l'on s'est trompé jusqu'ici sur la destination des canots : ce sont des toits, seulement on les retourne quand on veut naviguer dedans ! Allons, mes jeunes messieurs, au nid, au nid !

– Qui surveillera le feu ? demanda Mrs. Clifton.

– Moi, moi ! répondirent simultanément Marc et Robert.

– Non, mes jeunes amis, dormez, répliqua l'honnête Flip, et laissez-moi ce soin pendant cette première nuit. Plus tard nous organiserons nos quarts. »

un quart :
une période de veille.

Mrs. Clifton voulait partager cette tâche avec Flip, mais le marin ne voulut pas y consentir, et il fallut lui obéir.

Les enfants, avant de s'introduire sous le canot, s'agenouillèrent auprès de leur mère ; ils prièrent pour leur père absent et invoquèrent l'aide de la Providence. Puis, après avoir embrassé Mrs. Clifton, le bon Flip, après s'être embrassés les uns les autres, ils se blottirent dans leur lit de mousse. La mère, après avoir serré la main de Flip, se glissa sous le canot à leur suite, et le marin attentif veilla, toute cette nuit, sur ce précieux foyer que la pluie et le vent menaçaient incessamment d'éteindre !

incessamment :
à chaque instant.

▼ Flip va devenir « l'oncle Robinson ». Explique cette expression.

▼ Comment réagissent les naufragés ? Qu'en penses-tu ?

▼ Relis attentivement le texte, puis dessine le canot transformé en maison.

Les nouvelles

Mathématique

Bernard Friot, *Encore des histoires pressées*, « Zanzibar/Humour », Milan, 1987.

Je vous ai déjà dit, je crois, que mon père était prof de français. Mais ma mère, ce n'est pas mieux : elle est prof de math. Dès que je rentre à la maison, c'est : « Tu as eu combien à ton devoir surveillé ? Qu'est-ce que tu as comme exercices ce soir ? Et l'interro sur les fractions, ça s'est bien passé, j'espère ? »
Bon, vous direz, jusqu'ici, rien d'extraordinaire. Ce genre d'interrogatoire, vous aussi, vous connaissez. Mais chez moi, ça ne s'arrête pas là. Maman a décidé que je serai un grand mathématicien, plus tard, une tête pleine de chiffres, de formules et de figures géométriques. Alors, tout est prétexte à des cours particuliers.
Quand on a purée-jambon, le mardi soir, elle saute sur mon assiette, découpe ma tranche de jambon en carrés, triangles ou trapèzes et m'empêche de manger avant d'avoir répondu à une foule de questions saugrenues : « Et ça, c'est un triangle isocèle ou équilatéral ? Pourquoi ? Démontre-le ! Trace-moi la diagonale ! Non, avec ton couteau ! Où est l'angle droit ? »
Le pire, c'est les spaghettis à la bolognaise. Mon plat préféré, pourtant. Mais impossible d'en avaler la moindre bouchée avant d'avoir calculé la longueur totale d'un kilo de spaghettis mis bout à bout et évalué le prix de revient par portion de vingt, cinquante et deux cent cinquante grammes. Quand j'ai terminé mes calculs, les spaghettis sont froids, et immangeables.
Mais j'ai trouvé la parade. Hier soir. Je crois que maman est guérie pour un bout de temps.
Hier, en effet, c'était son anniversaire et, comme d'habitude, il y avait une grande réunion familiale, avec tantes, oncles, cousins-cousines et grands-parents. Au moment de l'apéritif,

saugrenu :
bizarre.

la parade :
le moyen d'éviter quelque chose.

avant que maman ait eu le temps de me demander de convertir en hectolitres, décalitres, décilitres, centilitres et millilitres le 0,13 litre de Coca que je venais de me verser, je me suis levé et j'ai lu le compliment que j'avais préparé :

Ma chère et unique maman,

Tu as aujourd'hui 38 ans. Tu as donc vécu 13 879 jours, ou si tu préfères 333 096 heures, soit pour être encore plus précis 19 985 760 minutes. L'espérance de vie moyenne étant de 83 ans pour les femmes, tu peux donc espérer vivre encore 23 668 200 minutes, à condition d'arrêter de fumer comme tu fais 19 cigarettes par jour, soit 6 939,75 par an (en tenant compte des années bissextiles)...

Richard Lindner (1901-1978), *Petit Garçon à la machine.*

Auguste Herbin (1882-1960), *Lundi.*

J'ai continué sur ce ton pendant exactement 12 minutes et 32 secondes, dévoilant à maman le nombre de fois qu'elle se laverait les dents, la somme exorbitante qu'elle dépenserait en crème antirides, le temps qu'elle passerait au téléphone (8 mois, 22 jours, 6 heures et 52 minutes au rythme actuel), le poids qu'elle pèserait si elle continuait à prendre en moyenne 658 grammes par an (90 kilos et 86 grammes), etc., etc.

Au début, elle souriait, toute fière de son génie de fils, mais très vite son sourire a viré à la grimace, et quand j'ai eu fini, elle semblait avoir pris un sérieux coup de vieux. À table, elle ne m'a demandé ni de calculer, à la virgule près, le nombre de petits pois par invité, ni d'évaluer la circonférence, la surface et le volume du gâteau d'anniversaire.

Je l'ai même entendue, le soir, qui disait à mon père, en parlant de moi évidemment :

– Ton fils n'a aucun sens poétique, tu devrais t'en occuper un peu plus...

Il va falloir que je ruse sinon je suis bon, maintenant, pour des cours particuliers de littérature !

exorbitant : *énorme.*

▼ Qui raconte l'histoire ? De quoi se plaint-il ?
▼ Repère les deux grands épisodes du texte. Donne un titre à chacun d'eux.
▼ Comment le fils raconte-t-il l'histoire ? Penses-tu qu'il exagère ou pas ?
▼ Est-ce que cette histoire te paraît drôle ? Explique ta réponse.

Tankwiduz Trois

Christian Poslaniec, *Nouvelles de la Terre et d'ailleurs*, « Renard Poche », L'École des Loisirs.

Roberto Matta (né en 1911), *L'Étang de No*, 1958.

Tankwiduz Trois
A.O. 23 Bis de Ganachon.
(calendrier Carmounien)

Pschwaououtschch… La soucoupe se pose tout doucement sur le toit plat et rond de la krambuse et Pwet Biok sort en courant. Il se précipite vers l'ascenchelle, vite, vite, et se dépêche d'appuyer sur le bouton de sa porte pour annoncer à tout le monde qu'il est de retour. Il a tellement couru depuis sa soucoupe jusqu'ici que ses joues vertes sont pleines de reflets bleus et que dans ses yeux roses des lueurs rouges clignotent de temps en temps. Il s'assoit près du déjeunoir pour reprendre son souffle et attendre que ses parents arrivent.

Les voilà. L'air sévère, le visage fermé, les lèvres blanches. Pwet Biok qui ne s'attendait pas à un accueil de ce genre se lève brusquement en se demandant ce qui va lui arriver. Ses deux pères et ses trois mères se mettent en rang devant lui et le regardent d'un air sévère, sans rien dire... Pwet se sent bleuir et il commence à trembler. Puis Goniark, sa mère aînée, s'avance de deux pas et murmure : « C'est à cette heure-là que tu rentres ? »

Pwet Biok comprend enfin la raison de leur colère ! Il avait oublié qu'il était tellement en retard pour déjeunir. C'est vrai que c'est grave car si tout le monde ne déjeunit pas en même temps, à heure fixe, une partie de la famille risque d'attraper une couchimose et de vieillir d'un seul coup ! Aussi Pwet se met-il à balbutier : « Excusez-moi... Je ne l'ai pas fait exprès ! »

Goniark fait mine de n'avoir pas entendu et reprend :

« Tu sais l'heure qu'il est ?

– Ben non !

– Il est déjà Xuz barres douze ! Tu te rends compte ! Regarde ton père Truche, il est déjà à moitié couchimosé... Tu devrais avoir honte !

– Mais, écoutez-moi... Je vous dis que je l'ai pas fait exprès ! J'ai eu une panne de soucoupe... »

Ses pères et mères se regardent et Pwet commence à pleurer. Mais il tient quand même à finir ses explications et, tout en sanglotant, raconte : « Ça m'est arrivé juste au-dessus de Tankwiduz Trois. Eux ils appellent ça La Terre, je crois. Je me suis posé et, heureusement, j'ai trouvé aussitôt un mécanicien pour soucoupes qui a réparé mon bouzibulle. Seulement ça m'a pris du temps ! Alors... »

Mais, en levant les yeux, Pwet s'aperçoit que ses pères et mères le regardent d'un air coléreux et il s'interrompt. Aussitôt, toute la famille clame : « Comment ! Tu t'es posé sur Tankwiduz Trois ?

– Je ne pouvais pas faire autrement ! »

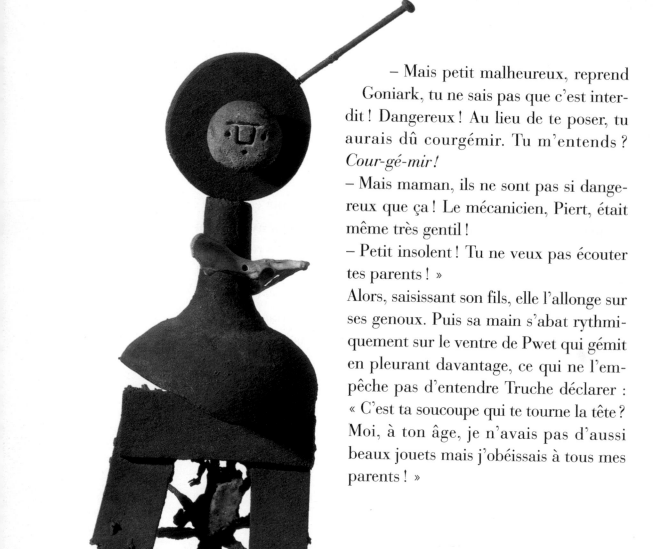

– Mais petit malheureux, reprend Goniark, tu ne sais pas que c'est interdit ! Dangereux ! Au lieu de te poser, tu aurais dû courgémir. Tu m'entends ? *Cour-gé-mir !*

– Mais maman, ils ne sont pas si dangereux que ça ! Le mécanicien, Piert, était même très gentil !

– Petit insolent ! Tu ne veux pas écouter tes parents ! »

Alors, saisissant son fils, elle l'allonge sur ses genoux. Puis sa main s'abat rythmiquement sur le ventre de Pwet qui gémit en pleurant davantage, ce qui ne l'empêche pas d'entendre Truche déclarer : « C'est ta soucoupe qui te tourne la tête ? Moi, à ton âge, je n'avais pas d'aussi beaux jouets mais j'obéissais à tous mes parents ! »

Joan Miró (1893-1983), *Personnage.*

▼ Où l'histoire se passe-t-elle ?
▼ Qu'est-il arrivé à Pwet Biok ?
▼ Ses parents ont-ils raison d'être en colère ? Explique ta réponse.
▼ Relève tous les mots bizarres du texte. Trouve-leur un sens.
▼ En quoi le monde de Pwet Biok ressemble-t-il au nôtre ? En quoi est-il différent ?

La peau bleue

Christian Léourier, « La Peau bleue », in *L'Habitant des étoiles et autres récits sur les extra-terrestres*, « Folio Junior », Gallimard Jeunesse, 1985.

Ils ont dit que j'avais la peau bleue.

Ils ont ri et ils se sont enfuis.

Ils n'ont pas voulu que je joue avec eux.

Ils ont dit que je venais d'ailleurs, qu'ils ne voulaient pas de moi dans leurs jeux.

Ils ont dit : ceux qui ont la peau bleue sentent mauvais ; et aussi : retourne chez toi, sale gor.

Alors j'ai pleuré, et ils ont dansé autour de moi.

Eux, ils riaient.

Où c'est, chez moi ? Je n'ai pas demandé à venir.

Ils riaient, et j'ai voulu me battre avec eux. Ils ont dit : on ne se bat pas avec une peau bleue. Ils se sont enfuis.

Elle s'est approchée. Elle souriait. Elle a essuyé les larmes sur mes joues avec sa main.

Elle était si jolie, avec ses grands yeux verts et ses cheveux blonds. Elle sentait si bon, peut-être à cause des fleurs dans ses tresses.

Elle a dit : ne fais pas attention à eux, ce sont des petits, ils sont bêtes.

Elle a dit : moi, j'ai douze ans.

Elle a pris ma main ; je me sentais tout intimidé.

Je n'avais plus envie de pleurer.

Elle a dit : viens près de la rivière. Nous y sommes allés.

Il y avait des bateaux.

On a lancé des pierres dans l'eau, à celui qui les jetterait le plus loin. Au début, j'ai fait bien attention à ne pas les lancer trop fort, pour ne pas la vexer. Puis j'ai oublié, et mes cailloux sont allés loin, loin, presque sur l'autre rive. Elle a dit : tu es drôlement fort.

Ensuite, nous avons cueilli des fleurs. Je me sentais bien.

Puis elle a demandé : est-ce que tous les gors sont aussi bleus que toi ?

Et j'ai eu, de nouveau, envie de pleurer.

Paul Klee (1879-1940), *Elfes*.

▼ Qui raconte l'histoire ?
▼ Qui sont les autres personnages ? Comment sont-ils désignés ? Pourquoi ?
▼ Explique la dernière phrase du texte.
▼ Que ressens-tu en lisant cette histoire ? Explique ta réponse.

Le chien

Dino Buzzati, in *Le Rêve de l'escalier*, Robert Laffont, 1973.

« Il y a une vingtaine d'années, me racontait le docteur Diego Vesca, vieux médecin de Verbania, j'avais un superbe mâtin, appelé Furio, qui m'était attaché. Si beau qu'un vilain soir il a disparu et je l'ai cherché partout, j'étais désespéré, pendant des mois j'ai fait des battues tout autour du lac, mais en vain, quelqu'un me l'avait volé...

« Mais jusqu'ici, me direz-vous, rien d'extraordinaire. Alors écoutez. À plus de dix ans de distance, un beau matin je prends la navette pour Laveno comme je fais au moins deux fois par semaine encore maintenant. J'étais à la poupe et le bateau venait de se détacher du quai quand je vois arriver à toute allure, vous savez qui ? je vois arriver mon Furio, tel quel, et il s'arrête sur le bord du quai en aboyant deux ou trois fois, puis il se jette à l'eau et commence à nager. Le bateau avait pris de la vitesse, la pauvre bête ne pouvait pas le rattraper. Alors je me mets à crier « Arrêtez ! Arrêtez ! » et je cours chez le commandant qui me connaissait, je le supplie d'arrêter. Cependant, le chien nageait, nageait, mais il était déjà épuisé et je continuais à appeler Furio, Furio pour lui donner du courage, mais je le voyais perdre de plus en plus de terrain. Et le commandant est venu à la poupe lui aussi et je lui ai montré le gros chien qui nageait, mais il disait qu'il ne voyait rien et les autres passagers non plus, tous disaient qu'ils ne voyaient rien et ils commençaient à me regarder avec un drôle d'air comme s'ils m'avaient pris pour un fou.

un mâtin :
un gros chien.

être attaché à :
avoir de l'affection pour.

la poupe :
l'arrière d'un bateau.

Charles Lacoste (1870-1959),
La Main d'ombre, détail.

Charles Cottet, *Étude de ciel et d'eau en vue du lac Léman*, pastel.

« Mais jusqu'ici, me direz-vous, rien d'extraordinaire. Mais écoutez. Depuis lors, plus ou moins tous les deux ou trois mois, la scène se répète. La navette s'est à peine détachée de la rive, quand arrive à pleine vitesse mon Furio qui se lance dans l'eau à la poursuite du bateau. Mais le bateau va plus vite que lui et la pauvre bête reste en arrière et nage avec la force du désespoir et me regarde, me regarde. Je sens ses yeux qui m'entrent ici », et il désignait son cœur.

« Enfin à certain point Furio n'en peut vraiment plus et je vois sa grosse tête disparaître sous l'eau. C'est chaque fois la même chose. Mais je n'appelle pas, je me tiens tranquille, je ne crie pas d'arrêter le bateau. Je sais qu'il s'agit seulement d'un fantôme. Si je fais le calcul, aujourd'hui il aurait vingt-quatre ans, on n'a jamais vu un chien vivre si longtemps. C'est seulement un fantôme. » Des larmes lui rayaient les joues.

▼ Que voit le docteur Vesca à l'arrière du bateau ?
▼ Que voient le capitaine et les autres passagers ?
▼ Comment le docteur Vesca explique-t-il ce qui se passe ?
▼ Que penses-tu de cette explication ?

L'invention

extra-terrestre

Marcello Argilli, in *Nouvelles d'aujourd'hui*, « Castor poche », Flammarion, 1990.

Un jour, un petit engin spatial se posa sur la place principale de la ville, prenant bien garde à ne pas heurter les voitures garées. D'une forme jamais vue, il ne pouvait venir que d'une autre planète, et il était plutôt mal en point, peut-être à cause du long voyage, ou parce qu'il avait été acheté d'occasion.

Une fois les réacteurs éteints, il en sortit un petit bonhomme en combinaison rose, avec un minuscule casque qui laissait entrevoir une sympathique frimousse d'une délicate couleur vert pâle.

Aussitôt accourut une foule de curieux, et les enfants au premier rang commencèrent à l'assaillir de questions :

– D'où viens-tu ? Comment t'appelles-tu ? Tu as soif ? Tu veux une orangeade ?

– J'arrive d'une planète très lointaine. Là-bas on m'appelle...

Il prononça un mot étrange et ajouta :

– Dans votre langue, ça se traduit Hamilcar. Je suis venu donner un coup d'œil à la Terre.

C'est alors qu'arrivèrent les journalistes, puis le conseil municipal au complet, maire en tête.

Hamilcar descendit de son engin. Il tenait à la main une grande enveloppe cachetée à la cire qu'il montra à l'assistance et, s'inclinant devant les autorités, il déclara :

– Mes amis, je vous apporte un

Jean Tinguely
(1925-1991),
Tricycle.

cadeau. Sur ma planète, nous avons organisé un concours pour l'invention de la chose qui vous serait la plus utile à vous, les Terriens. L'invention du gagnant est décrite dans cette enveloppe.

– Merci... Très flattés... C'est vraiment une pensée délicate.

Le maire allongea la main pour prendre l'enveloppe, mais Hamilcar ne la lui donna pas.

– Je ne peux vous la remettre qu'à une condition : qu'elle soit comparée à toutes les inventions que vous saurez faire vous-mêmes dans les trois mois qui suivent. Sans vouloir vous offenser, je ne vous cache pas que nous ne vous croyons pas capables d'en imaginer une plus utile que celle-ci. Bon, quoi qu'il en soit, chers amis Terriens, je vous donne rendez-vous dans trois mois. Au revoir.

Il remonta dans son engin et disparut dans le ciel.

Dans la ville et dans le pays tout entier, on organisa aussitôt un concours pour l'invention la plus utile. Tous les savants, et pas seulement eux, y participèrent, bien décidés à démontrer qu'ils étaient plus forts et plus intelligents que ceux de la planète d'Hamilcar.

Trois mois plus tard, l'engin se posa à nouveau sur la place. Tous les habitants étaient là pour l'accueillir, et tous, savants, ingénieurs, étudiants, ménagères, retraités, avaient à la main un tas d'esquisses et projets divers.

Hamilcar descendit avec son enveloppe, s'inclina et dit :

– Bonjour, les amis, décrivez-moi vos inventions.

Ils les lui présentèrent une par une, et beaucoup d'entre elles étaient vraiment intelligentes, utiles et faciles à réaliser : voitures très économiques qui marchaient au sirop de grenadine et laissaient derrière elles un sillage de parfum ; engrais qui faisaient pousser un tapis de gazon sur le ciment des trottoirs ; vêtements dont la taille augmentait au fur et à mesure que les enfants grandissaient ; motocyclettes d'où il était impossible de tomber ; lunettes d'étude qui rendaient attrayante la lecture des manuels scolaires ; un dentifrice à l'anglais, à l'alle-

une esquisse :
une idée, un projet.

attrayant :
agréable.

mand, à l'espagnol, etc., qui, dès qu'on l'utilisait, permettait de parler différentes langues ; un téléviseur qui refusait d'interrompre les programmes pour diffuser la publicité ; il y avait même des gens qui avaient trouvé un système pour mettre en conserve les rayons du soleil d'été afin qu'on puisse en profiter l'hiver.

Chacun, en expliquant son invention, guettait la frimousse vert pâle d'Hamilcar pour essayer de savoir si elle était meilleure que celle de l'extra-terrestre. Mais Hamilcar restait impassible.

impassible :
*très calme,
sans réaction.*

Une fois terminé l'exposé des inventions, le maire déclara :

– Et maintenant, montrez-nous la vôtre. On va bien voir si vous êtes plus forts que nous.

Hamilcar lui tendit l'enveloppe. Anxieusement, le maire l'ouvrit : elle contenait une feuille pliée en quatre. Il la déplia : elle était blanche !

– Mais alors, tu nous as menti ! s'exclama-t-il , indigné.

Souriant, Hamilcar remonta dans son engin.

– Ne croyez-vous pas que ça en valait la peine ? dit-il.

Et, refermant la porte, il s'envola.

Jean Tinguely,
Soleil tournant,
1989.

▼ Combien de fois Hamilcar vient-il sur la Terre ? Pour quelle raison ?
▼ Est-ce que le lecteur peut prévoir la fin du texte ? Explique ta réponse.
▼ Pourquoi la feuille d'Hamilcar est-elle blanche ?
▼ Quelle invention te plaît le plus ? Pourquoi ?

Crédits textes

Crédits photographiques

Cet ouvrage est imprimé sur du papier
composé de fibres naturelles, renouvelables,
recyclables, et fabriqué à partir de bois issu de forêts
gérées de façon durable conformément
à l'article 206 de la loi n° 2010-788
du 12 juillet 2010.

Maquette et réalisation de l'intérieur : Rampazzo & Associés
Maquette de couverture : Polymago
Réalisation de la couverture : Pierre Léotard
Recherche iconographique : Nathalie L'Hopitault

Achevé d'imprimer en Italie par Bona
Dépôt légal : 04/2011 - Collection n° 32 - Edition 08 - 11/6035/7